MISIÓN BÍBLICA JUVENIL

LA PALABRA SE HACE JOVEN CON LOS JÓVENES

Manual
para el Equipo Central

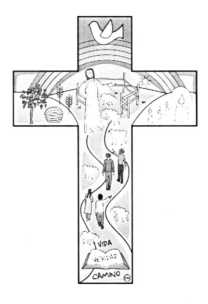

Equipo Bíblico del Instituto Fe y Vida

www.MisionBiblicaJuvenil.org

Publicaciones para implementar la Misión

I. Manual para el Equipo Central

II. Manual para el Equipo de Jóvenes Misioneros

III. Cuaderno de la Misión

IV. Diario de la Misión

DIRECCIÓN DEL PROYECTO

Instituto Fe y Vida

EQUIPO EDITORIAL

**Coordinadora del proyecto
y escritora principal**

Amparo Leyman Pino

Asesores

Eduardo Arnouil

María Pilar Cervantes

Ken Johnson-Mondragón

Dennis Kurtz

Leticia Medina

Walter F. Mena

Leonardo Monguí Casas

Directora y editora general

Carmen María Cervantes

Corrección de estilo

Aurora Macías-Dewhirst

DISEÑO E ILUSTRACIONES

OCUS Comunicación Visual

Martha Elena Sánchez

Aranza Ruiz

Fotografías de las cruces atriales

Jaime Lara

FOTOCOMPOSICIÓN

Amparo Leyman Pino

INSTITUCIONES SOCIAS

Catholic.net, México

Consejo Episcopal Latinoamericano (CELAM)

Editorial Verbo Divino, España

Producciones Dynamis, México

Saint Mary's Press

United States Conference of Catholic Bishops
(USCCB), Estados Unidos

APOYO FINANCIERO

Fundación anónima, Latinoamérica

Fundación anónima, Norteamérica

Benefactores del Instituto Fe y Vida,
en Estados Unidos y México

Congregation of the Mission, The Vincentians

De La Salle Christian Brothers:
Provincias de California y del Oeste Medio

Donald D. Lynch Family Foundation

Fund for Pilgrims and Prophets, Carmelite Friars

Fundación SERTULL, México

Fundación Verbo Divino, España

In memóriam del Rancho el Chilar de San José,
México

Koch Foundation

National Youth Foundation

Our Lady of the Assumption Church,
Diócesis de Stockton

Raskob Foundation for Catholic Activities

Saint Anthony of Padua Church,
Diócesis de Stockton

Saint Jude Shrine, Diócesis de San Diego

Saint Mary's Press

Sisters of Providence, Estado de Washington

Sisters of Saint Joseph of Orange

*Nota: La mayoría de los donadores es de Estados
Unidos; cuando pertenece a otros países se indica.*

ÍNDICE

PARTE 3: PROCESOS PARA LA FORMACIÓN Y CAPACITACIÓN DE LOS EQUIPOS DE JÓVENES MISIONEROS

ORACIÓN POR LA MISIÓN
"LA PALABRA SE HACE JOVEN CON LOS JÓVENES"

Jesús, amigo, profeta y maestro nuestro:
¡Qué grandeza la tuya de querer
que tu Palabra se haga joven con los jóvenes!

Tú eres el camino, la verdad y la vida.

Eres el *camino* que guía nuestros pasos,
para llevar la Buena Nueva a quien anhela el amor del Padre.

Eres la *verdad* que nutre nuestro espíritu,
al hacer presente la buena noticia de tu Reino.

Eres la *vida* que transforma la nuestra,
al encarnar tu amor a través de tu Palabra.

Jesús, amigo, profeta y maestro nuestro:
¡Qué grandeza la tuya de querer
que tu Palabra se haga joven con los jóvenes!

Te pedimos de corazón por el éxito de esta Misión.

Ponemos ante ti, de manera especial,
a todos los jóvenes misioneros
y a quienes participarán en las sesiones bíblicas,
para que tu Palabra anide en sus corazones.

Ilumínalos, llénalos y fortalécelos con tu Espíritu,
para que, acompañados de María,
sean todos profetas tuyos aquí y ahora,
y así tu Palabra se haga joven con los jóvenes. Amén.

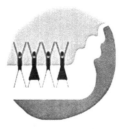

Prólogo

La Misión Bíblica Juvenil,
"La Palabra se hace joven con los jóvenes",
es una acción misionera de la Iglesia católica,
que conlleva un esfuerzo evangelizador y formador
de su liderazgo joven.

Se realiza en el espíritu de Jesús,
quien tuvo la misión de anunciar la Buena Nueva
de la llegada del reino de Dios a la humanidad.
Esta misión fue asumida por sus discípulos
y, con la misma fuerza de ayer, hoy y siempre,
Jesús invita a todos los bautizados
a llevarlo a él y su Palabra de vida
hasta los confines de la tierra.

Descubrir y responder a la vocación misionera personal
es fruto del crecimiento y madurez
como seguidores de Jesús.
Si se acepta seguirlo,
la vida se hace diálogo y comunión con él,
y participación consciente en su obra salvadora.
La Misión Bíblica Juvenil lleva a los jóvenes
a encontrarse con Jesús, conocerlo
y aceptar su invitación a amar y servir a los demás
anunciando con hechos y palabras
"lo que hemos oído, lo que hemos visto" (1 Jn 1, 1).

Archdiocese of San Antonio

P.O. Box 28410 • San Antonio, Texas 78228-0410
Phone (210) 734-2620
Fax (210) 734-0708

Octubre 12, 2009

Queridos jóvenes y asesores juveniles,

Con gran esperanza escribo estas líneas para animarlos a participar en esta Misión Bíblica Juvenil, a través de la cual "La Palabra se hace joven con los jóvenes". La Palabra de Dios ha sido, es y será siempre fuente de vida verdadera para toda persona que la reciba con el corazón abierto.

La base sobre la cual construimos nuestra vida cristiana debe ser nuestro encuentro personal con el Señor Jesús, que es la Palabra, el Verbo hecho carne que habitó entre nosotros. A través de las Sagradas Escrituras, lo conocemos cada vez más profundamente, y así, podemos amarlo más y entregarle nuestra vida.

Los Apóstoles vieron sus vidas transformadas después de su encuentro personal con Cristo: empezaron a vivir según sus enseñanzas, teniendo a Jesús como fundamento y fin de todo lo que hacían. El Señor Jesús se transformó en el centro de su vida, y la Palabra en la fuente que nutrió su ministerio y los impulsó a anunciarlo a todo el mundo.

Espero que cada uno de ustedes pueda experimentar algo similar. El Señor Jesús quiere encontrarse con la juventud de hoy, haciéndose presente entre ellos a través del testimonio de jóvenes misioneros que viven según su Palabra y la comparten en comunidad.

Si eres un joven que se sabe amado por Jesús, lo conoces bastante bien y lo consideras tu amigo, estás invitado a ser miembro de un equipo de jóvenes misioneros. Si estás pasando por un momento de tu vida en que te hace falta el amor o la esperanza, o te sientes triste y desalentado, Jesús te invita a participar en esta Misión. Él quiere acercarse a ti, quiere que lo conozcas mejor, que te encuentres con el gran amor que te tiene, y que lo descubras como reconciliador y dador de vida nueva.

Y a ti, querido sacerdote, ordenado para ser buen pastor entre la juventud; querido asesor de jóvenes; maestro de religión en las escuelas; catequista en las parroquias; padre o madre de familia... Jesús te invita a que organices esta misión. ¡Hay tantos jóvenes sedientos de Dios! ¡No dejes pasar esta gran oportunidad! Es urgente que "La Palabra se haga joven con los jóvenes" y tú puedes ser uno de los apóstoles que ayudarán a formar misioneros jóvenes en nuestra Iglesia de hoy.

Ofrezco mis oraciones por todos ustedes, y me despido en Cristo, profeta de esperanza entre la juventud,

+José H. Gomez

Mons. José H. Gomez, S.T.D.
Arzobispo de San Antonio, Texas
Presidente del Secretariado de Diversidad Cultural en la Iglesia, USCCB
Moderador de la National Catholic Network de Pastoral Juvenil Hispana

CONSEJO EPISCOPAL LATINOAMERICANO
DEPARTAMENTO DE FAMILIA Y VIDA
SECCIÓN JUVENTUD

Bogotá, D.C., enero 6 de 2.010

Queridos jóvenes, queridas jóvenes,

Jesús tiene un mensaje de vida para ustedes. Él es el gran amigo que nunca nos falla, el que tiene palabras de vida nueva y está a nuestro lado, siempre que lo aceptamos en nuestra vida. Basta con que cada uno de ustedes esté dispuesto a encontrarse con él y escuchar su mensaje, para que su vida adquiera nueva energía y sentido, en medio de los múltiples problemas que enfrentamos hoy día.

Los Obispos latinoamericanos reunidos en Aparecida, Brasil, nos convocan a convertirnos en auténticos discípulos y misioneros del Señor de la Vida y a realizar una Gran Misión Continental donde llevemos esa Buena Noticia a todo nuestro continente.

Por eso es un gozo presentarles la Misión Bíblica Juvenil, "La Palabra se hace joven con los jóvenes". Es un gran regalo de Dios para la juventud y fuente de mucha esperanza, gracias a miles de jóvenes misioneros que se pondrán en acción, en nuestro Continente Americano.

Para aquéllos que sufren, están desorientados, se sienten solos, están hartos de la vida... Jesús les tiene un regalo de amor y esperanza. Es un regalo que se derrama sobre ustedes, una bendición que les sellará para siempre. Esta Misión es una oportunidad para crecer en la fe, conocer mejor a Jesús y encontrar amigos que los acompañen en la jornada de la vida. Créanme, es un privilegio ser el destinatario de tan magnífico obsequio. ¡Vengan a recibir el regalo de Jesús!

Para aquéllos que sienten arder en su corazón el deseo de ser una luz y un apoyo para sus compañeros menos afortunados, les regala la oportunidad de hacerlo a través de esta Misión. Jesús está llamando a todos los jóvenes que sienten la urgencia de ser discípulos y profetas del Reino, a que continúen su misión salvadora en el momento actual de la historia. Con Jesús, pueden ayudar a crear un mundo mejor. ¡Vengan! ¡Pónganse en acción!

Vengan con todos sus anhelos, con la esperanza de que Jesús saldrá a su encuentro, y al igual que a los discípulos que caminaban hacia Emaús, él les explicará las Escrituras y revelará su mensaje de salvación. Caminen al lado del Maestro, él es el camino, la verdad y la vida.

Reciban con esta carta un afectuoso saludo y mi bendición,

+ *[firma]*

Mons. Mariano José Parra Sandoval
Obispo de Ciudad Guayana, Venezuela
Obispo Responsable, Sección Juventud del CELAM.

Carrera 5a. Nº 118-31 (Usaquén) - Tel: (57 1) 587 9710 - Fax: 587 9717 - Apartado Aéreo 51086 - Bogotá, D.C - Colombia
E-MAIL: familiayvida@celam.org // familiayvida@yahoo.es

Carta a nuestros sacerdotes, religiosos/as y agentes de pastoral laicos,

"Preparen el camino al Señor; nivelen sus senderos" (Is 40, 3; Lc 3, 4). Todos conocemos a jóvenes sedientos de trabajar en colaboración con nosotros, de contar con nuestra orientación, cariño y disposición.

Abracen la Misión Bíblica Juvenil, "La Palabra se hace joven con los jóvenes", inclúyanla en sus planes y proyectos, asuman el liderazgo en sus parroquias, decanatos, arqui/diócesis, congregaciones, institutos, colegios y movimientos apostólicos. Bajo su liderazgo, el efecto multiplicador de la Misión dará muchos frutos, tanto entre los jóvenes misioneros como entre los participantes.

Ustedes tienen en sus manos el poder para hacer una gran diferencia en los ámbitos pastorales bajo su influencia. La Misión los necesita para cultivar la semilla del Evangelio en el corazón de los jóvenes.

Abran las puertas a los jóvenes y adultos que quieren hacer de su parroquia o institución una sede de la Misión, involúcrense con ellos o apóyenlos para que los jóvenes cuenten con guías adultos cercanos y cálidos, dispuestos a escucharlos y a ofrecer espacios para su crecimiento en el amor, la fe y la esperanza.

En espíritu de pastoral de conjunto a lo largo de todo el Continente Americano, aprovechen esta Misión para provocar el encuentro de los jóvenes con Jesús. Afirmen su vocación bautismal, para que los transforme profundamente, dé sentido cristiano a su vida y los impulse a la acción.

Súmense a este bello esfuerzo para que los jóvenes de hoy sean discípulos misioneros, agentes activos de la Nueva Evangelización del Continente Americano. Dios bendecirá sus esfuerzos con frutos abundantes.

Que María evangelizadora los inspire en esta Misión,

Equipo Bíblico del Instituto Fe y Vida

Carta a los asesores en la pastoral juvenil y a los padres de familia,

¡El trabajo pastoral con los jóvenes es un deleite! Su creatividad, energía, optimismo y cuestionamientos, renuevan y fortalecen nuestra fe. La Misión Bíblica Juvenil, "La Palabra se hace joven con los jóvenes", brinda una oportunidad para construir el Reino con los jóvenes y para los jóvenes.

Hoy la Palabra de Jesús se hace vida y resuena en nuestro corazón; nos llama a ser formadores y asesores de jóvenes misioneros. Los alentamos a ser dóciles a este llamado de Jesús.

"No todo el que dice: ¡Señor, Señor! Entrará en el reino de los cielos, sino el que hace la voluntad de mi Padre" (Mt 7, 21). Entren en oración, pidan al Señor la fuerza y los dones necesarios para servir en este proyecto de la Misión. ¡Es momento de dar testimonio de nuestra fe entre los jóvenes y ser fuente de inspiración, apoyo y liderazgo!

Promuevan a los jóvenes como protagonistas de la acción pastoral hacia sus compañeros; acompáñenlos y oriéntelos, para que Dios actúe a través de ellos. Adopten su papel de asesores, otorguen su confianza a los jóvenes que servirán como evangelizadores y anfitriones en esta Misión.

Escuchen los anhelos profundos, las inquietudes de fe y las necesidades pastorales de los jóvenes de su localidad e invítenlos a participar en la Misión. Centren sus esfuerzos en este proyecto eclesial que dará muchos frutos al posibilitar que los jóvenes caminen sobre las huellas de Jesús.

Confiados en la generosidad de su corazón ante la urgencia de una Nueva Evangelización, en la que la juventud activa en la Iglesia viva su misión bautismal entre sus compañeros, pedimos a Dios que los bendiga abundantemente en su labor.

Que María, nuestra Madre y discípula de Jesús, los guíe en esta Misión,

Equipo Bíblico del Instituto Fe y Vida

Los obispos latinoamericanos, en su V Conferencia General, en Aparecida, motivan a los agentes de pastoral, catequistas y asesores de jóvenes, al afirmar los múltiples dones que Dios ha dado a la juventud para el bien de ellos, la iglesia y la sociedad:

> Los jóvenes y adolescentes [...] no temen el sacrificio ni la entrega de la propia vida, pero sí una vida sin sentido. Por su generosidad, están llamados a servir a sus hermanos, especialmente a los más necesitados con su tiempo y con su vida. Tienen capacidad para oponerse a las falsas ilusiones de felicidad y a los paraísos engañosos de la droga, el placer, el alcohol y todas las formas de violencia. En su búsqueda del sentido de la vida, son capaces y sensibles para describir el llamado particular que el Señor Jesús les hace. Como discípulos misioneros, las nuevas generaciones están llamadas a transmitir a sus hermanos jóvenes, sin distinción alguna, la corriente de vida que viene de Cristo y a compartirla en comunidad, construyendo la Iglesia y la sociedad.[1]

MBJ

INTRODUCCIÓN

> El mandato misionero del Señor tiene su fuente última en el amor eterno de la Santísima Trinidad: "La Iglesia peregrinante es, por su propia naturaleza, misionera, puesto que tiene su origen en la misión del Hijo y la misión del Espíritu Santo, según el plan de Dios Padre".
>
> —*Concilio Vaticano II,* Ad gentes

La misión esencial y primordial de la Iglesia es evangelizar; dar a conocer a Jesús, su vida y su mensaje, en todo tiempo y lugar. Es ofrecer la oportunidad de adquirir la vida nueva que nos regala Jesús, al encarnarse en sus seguidores y en la comunidad eclesial, a través de su Espíritu.

En esta Misión Bíblica Juvenil, los jóvenes se reúnen en torno a la Palabra de Dios revelada en la Sagrada Escritura. A través de ella, se acercan a Jesús y escuchan su mensaje, dejándose transformar conforme encarnan la Palabra en su vida. Al reunirse en nombre de Jesús, él les ofrece su gran amor y les da vida nueva, como él mismo afirma al decir, "Donde están dos o tres reunidos en mi nombre, allí estoy yo en medio de ellos" (Mt 18, 20).

"Jesucristo es el mismo ayer, hoy y siempre" (Heb 13, 8). Por lo tanto, la Misión Bíblica Juvenil, al transmitir con fidelidad las verdades del Evangelio, es un proyecto para el hoy y el mañana; un instrumento para mantener siempre viva la presencia activa de Jesús y el impulso de su Espíritu.

METAS Y OBJETIVOS DE LA MISIÓN

Metas generales

1. Llevar la Palabra de Dios a la juventud en el Continente Americano, con nuevo ardor, expresiones y métodos.

2. Promover la vocación evangelizadora del liderazgo juvenil católico.

3. Crear un espíritu de iglesia universal entre la juventud católica.

Objetivos de los jóvenes evangelizadores y anfitriones

1. Llevar la Palabra de Dios, de manera significativa, a millones de jóvenes en el Continente Americano, con un alcance bilingüe y multicultural.

2. Estar más conscientes de su vocación evangelizadora y a ser apóstoles entre otros jóvenes en el medio ambiente en que viven.

3. Promover su fe y crear un espíritu de hermandad con otros jóvenes en el Continente Americano.

4. Contar con un modelo pastoral misionero, diseñado especialmente para jóvenes y con los recursos necesarios para ser organizado por agentes de pastoral juvenil, catequistas, líderes juveniles y padres de familia.

5. Utilizar su conocimiento de la Sagrada Escritura y su formación catequética para llevar la Palabra de Dios a otros jóvenes.

Objetivos de la Misión como miembros de la Iglesia

1. Responder al llamado del papa Juan Pablo II a la Nueva Evangelización, en el espíritu de su exhortación apostólica *Ecclesia in America.*[2]

2. Responder al llamado del papa Benedicto XVI en su convocatoria al Sínodo de la Palabra de Dios en la vida y la misión de la Iglesia, para que "la Palabra de Dios sea [...] más conocida, escuchada, contemplada, profundizada, amada y vivida".[3]

3. Responder al llamado de los obispos latinoamericanos en la V Conferencia del Consejo Episcopal Latinoamericano (CELAM), a estar en activo *estado de misión* en la Iglesia católica en América Latina.[4]

4. Implementar las conclusiones del Primer Encuentro Nacional de Pastoral Juvenil Hispana, en Estados Unidos, que piden la creación de modelos pastorales de evangelización y formación de líderes entre los jóvenes hispanos,[5] y de *Renovemos la visión,* que pide que se lleve a Jesús a todos los adolescentes.[6]

5. Responder a las necesidades de unidad y diversidad de la Iglesia en Estados Unidos, con un esfuerzo misionero bilingüe, con el potencial de incluir a jóvenes de cualquier origen cultural.

6. Promover una pastoral de conjunto entre las arqui/diócesis, parroquias, institutos pastorales, congregaciones religiosas, organizaciones nacionales y movimientos apostólicos, como promotores y organizadores de las Misiones.

ORGANIZACIÓN Y UTILIZACIÓN DEL MANUAL

Este *Manual* está dirigido al Equipo Central. Contiene material específico para que los organizadores, formadores y asesores, asuman el liderazgo adulto en esta Misión, al tiempo que promueven el protagonismo pastoral de los jóvenes.

Los contenidos teológico-pastorales que fundamentan esta Misión, así como los lineamientos metodológicos y aportes prácticos que necesitan conocer los jóvenes misioneros, se encuentran en el *Manual para el Equipo de Jóvenes Misioneros (EdeJM)*. Por lo tanto, el *Manual para el Equipo Central* hace referencias constantes al *Manual para el Equipo de Jóvenes Misioneros* y al *Cuaderno de la Misión*. Este último es una guía detallada para preparar y conducir las sesiones bíblicas.

El *Manual* está organizado en tres partes, un epílogo y cuatro apéndices:

Parte 1: Un proyecto para el hoy y el mañana

Esta parte presenta la Misión, su mística y su lugar en la pastoral bíblica juvenil. Describe el proceso para implementarla centrándose en los aspectos que el Equipo Central debe considerar al planificarla. Introduce las cuatro publicaciones de la Misión y ofrece una guía para estudiarlas. Visualiza, con ayuda de un apéndice, la capacidad misionera de la iglesia joven en varios escenarios de centros organizadores.

La mística es un aspecto vital en la Misión, pues comunica de múltiples maneras su espiritualidad, que es la fuente de donde nace la acción misionera:

> La palabra *mística* implica un conjunto de ideales, actitudes, valores y sentimientos que motivan e iluminan a personas y comunidades en su jornada de fe, inspirando su respuesta a Dios y produciendo una espiritualidad que anima su vida y su ministerio pastoral. Esta mística proviene de una experiencia espiritual profunda, fundamentada en una reflexión teológica sobre la práctica pastoral como iglesia.

> La Cruz de la Misión y su simbología, la canción lema y su vídeo, el vídeo de capacitación, los cantos para las sesiones... son instrumentos que ayudan a generar la mística propia de esta Misión. Sin embargo, son los jóvenes —con su dinamismo, su amor a Jesús, su celo apostólico, su interés en la encarnación del Evangelio en la juventud, su deseo de llevar la Buena Nueva a sus compañeros— los que dan a la Misión, una mística de profetismo juvenil, capaz de generar la fe en Jesús y su mensaje de salvación.[7]

Parte 2: El protagonismo juvenil y el rol de los adultos

Esta parte inicia presentando el dinamismo vocacional de la Misión, incluye un cuadro descriptivo de los equipos que la hacen posible, y el perfil de los jóvenes participantes a quienes está dirigida. Describe los roles de los miembros del Equipo Central. Presenta el proyecto de la Misión como un proceso de formación en la acción para los jóvenes misioneros, viéndolo desde la perspectiva del Equipo Central.

Parte 3: **Procesos para la formación y capacitación de los Equipos de Jóvenes Misioneros**

En esta parte se describen todos y cada uno de los procesos para implementar la Misión. Para la *etapa de preparación inicial:* la invitación a los candidatos a servir como jóvenes misioneros y el proceso para su Convocatoria. Para la *etapa de capacitación:* la Vivencia de la Misión por los jóvenes misioneros; su discernimiento de roles como evangelizadores o anfitriones; la creación de los equipos y ubicación de las sedes, y la Jornada de Capacitación. Para la *etapa de implementación:* la facilitación de la Misión por los jóvenes misioneros y las Liturgias de Envío y de Clausura.

Epílogo: Y después de la Misión..., ¿qué?

Presenta la riqueza de opciones que existen para que los jóvenes —misioneros y participantes— puedan continuar su jornada de fe en comunidad y con el apoyo adulto adecuado.

Apéndices

Complementan la visión sobre la Misión y contienen recursos prácticos para implementarla. La mayoría de estos recursos está también disponible, de manera independiente, en el sitio web de la Misión.

LA BIBLIA CATÓLICA PARA JÓVENES Y SU UTILIZACIÓN EN LA MISIÓN

La Biblia Católica para Jóvenes (BCJ)[8] es el corazón de la pastoral bíblica juvenil del Instituto Fe y Vida. Fue creada con el fin de ofrecer una Biblia que lleve a los jóvenes a conocer la Palabra de Dios, orar con ella y vivirla desde el corazón, y que les ayude a compartirla con sus compañeros. Por ello contiene diferentes tipos de comentarios, valiosas introducciones y una serie de apoyos didácticos y pastorales.

La *BCJ* como instrumento privilegiado para los jóvenes misioneros

Como los jóvenes misioneros deben acercarse directamente a la Palabra de Dios para orar con ella, familiarizarse con su mensaje y hacerla vida, es ideal que todos cuenten con una *BCJ*. Esta versión de la Biblia les será también de gran utilidad en su misión de evangelizadores de sus compañeros.

El texto de la *Biblia de América* o la *BCJ*: texto oficial de la Misión

La *BCJ* utiliza el texto de la *Biblia de América*, debido a su calidad bíblica y lenguaje accesible para los jóvenes. Con el fin de que los participantes en la Misión lean la misma versión del texto bíblico, las citas sobre las que se reflexiona en ella, están transcritas en las publicaciones de la Misión.

Existe una edición especial de la BCJ para la Misión, la cual tiene en la cubierta la Cruz de la Primera Misión. Su introducción habla de la Misión y explica el simbolismo de esta Cruz. Es la Biblia que se recomienda entronizar en cada sede de la Misión, durante la primera sesión bíblica.

UTILIZACIÓN DEL SITIO WEB POR EL EQUIPO CENTRAL

El sitio web de la Misión está colocado en el portal de la Pastoral Bíblica Juvenil del Instituto Fe y Vida. Dos aspectos relevantes para el Equipo Central son:

- Toda persona puede inscribirse como *usuario,* adquiriendo con ello el derecho a descargar gratuitamente todos los recursos disponibles en él. El Apéndice 1 contiene una guía que explica los recursos y cómo utilizarlos, la cual también se encuentra en el sitio web. Existe un mapa Google que indicará los lugares en donde hay usuarios, o sea, personas con interés en este proyecto.

- El Instituto Fe y Vida solicita que el líder organizador/a *afilie su centro* a este esfuerzo de pastoral de conjunto, llenando el formulario respectivo, el cual pide datos generales sobre el centro en su etapa de planificación. Esta afiliación tiene tres fines: (a) conocer en dónde se planea implementar la Misión; (b) facilitar que líderes organizadores en la región o de la misma institución, puedan establecer lazos de apoyo mutuo, y (c) dar a saber en qué lugares hay Misiones a las que se puedan integrar, formadores, asesores y jóvenes interesados en ser misioneros o en participar en la Misión.

Después de realizadas las evaluaciones, el líder organizador deberá enviar al Instituto Fe y Vida un *reporte final*, para el cual existe un formulario especial. En él se podrán indicar el número de sedes, jóvenes misioneros y jóvenes participantes; los logros y desafíos en su centro, y sus sugerencias para otras Misiones. A su vez, Fe y Vida enviará el informe general realizado con todos los reportes, como una retroalimentación valiosa para los equipos centrales.

El papa Pablo VI motivó en su exhortación apostólica *Evangelii Nuntiandi (Para anunciar el Evangelio),* a fomentar en la Iglesia católica un espíritu de evangelización profunda, que sigue siendo una prioridad en nuestra época. En ella nos dice:

> Evangelizar significa para la Iglesia llevar la Buena Nueva a todos los ambientes de la humanidad y, con su influjo, transformar desde dentro, renovar a la misma humanidad [...] La Iglesia evangeliza cuando, por la sola fuerza divina del Mensaje que se proclama, trata de convertir al mismo tiempo la conciencia personal y colectiva de las personas, la actividad en la que están comprometidas, su vida y ambiente concretos.
>
> [...] No se trata solamente de predicar el Evangelio en zonas geográficas cada vez más vastas o en poblaciones cada vez más numerosas, sino de alcanzar y transformar con la fuerza del Evangelio, los criterios de juicio, los valores determinantes, los puntos de interés, las líneas de pensamiento, las fuentes inspiradoras y los modelos de vida de la humanidad, que están en contraste con la Palabra de Dios y con el designio de salvación.[9]

MBJ

PARTE 1

UN PROYECTO PARA EL HOY Y EL MAÑANA

El núcleo vital de la Nueva Evangelización ha de ser el anuncio claro e inequívoco de la persona de Jesucristo, es decir, el anuncio de su nombre, de su doctrina, de su vida, de sus promesas y del Reino que él nos ha conquistado a través de su misterio pascual.

—Juan Pablo II, *Ecclesia in America*

1.1 MÍSTICA DE LA MISIÓN
"LA PALABRA SE HACE JOVEN CON LOS JÓVENES"

La Misión Bíblica Juvenil, "La Palabra se hace joven con los jóvenes", se encarna en la labor principal de la Iglesia: la evangelización de los pueblos. Nace directamente de la Sagrada Escritura, como la fuente para el encuentro con Jesús y su buena nueva de salvación. Lo hace desde la perspectiva de la Nueva Evangelización de América y de la llamada de los obispos latinoamericanos, en su V Conferencia General, en Aparecida, a que la Iglesia se mantenga en estado activo de misión.

La Iglesia en América Latina ha hecho una opción preferencial por los jóvenes,[10] y en Estados Unidos aparece como prioridad en la mayoría de procesos que analizan las necesidades pastorales de la Iglesia a nivel diocesano y nacional. Esto significa reconocer el amor de Dios por los jóvenes y la confianza que deposita en ellos, e implica que toda la Iglesia centre su atención, preocupación y tiempo allí donde Dios ha puesto su voluntad cariñosa.

El anhelo de la Iglesia de *ser joven con los jóvenes* se hace realidad a lo largo de la historia siempre que fomenta y nutre su vocación cristiana. El rostro de Jesús se refleja en el de los jóvenes que viven sus valores y llevan su buena nueva a otras personas.

Los jóvenes, al recibir el anuncio de Jesucristo y su Evangelio como la respuesta a sus más profundas aspiraciones, reciben también la propuesta fuerte y enaltecedora de seguir a Jesús y de participar en su misión salvadora de la humanidad. Como laicos, están llamados desde su bautismo a continuar la misión de Jesús sacerdote, profeta y rey.[11]

La Palabra de Dios: fuente de la pastoral juvenil

Para que la Palabra se haga joven con los jóvenes, hay que mantener el protagonismo juvenil, preparando y abriendo espacios para que los jóvenes misioneros sean el rostro, la voz y la fuerza de Jesús en la misión de la Iglesia. Estos espacios y este protagonismo son esenciales en toda pastoral juvenil, ya que los jóvenes siempre han sido los principales evangelizadores de sus compañeros. Los adultos dan los pasos para que los jóvenes crezcan, como lo hizo Juan el Bautista al presentar a Jesús, permitiendo así que la evangelización sea de joven a joven, como lo indica el Magisterio de la Iglesia.

La Misión Bíblica Juvenil facilita esta tarea al promover la vocación de los jóvenes como profetas del reino de Dios. El lema de la Misión, "La Palabra se hace joven con los jóvenes", centra este proyecto en la importancia de que la iglesia joven encarne la Palabra de Dios en su vida y la lleve por doquier.

> **Ver *Manual para el EdeJM:***
> ➡ "La Misión Bíblica Juvenil y la Nueva Evangelización", pp. 17-27.
> ➡ "Fundamentos teológico-pastorales de la Misión", pp. 27-36.

En la Sagrada Escritura, Dios habla a los hombres y mujeres como amigos/as, en su mismo lenguaje, conversando con ellos para invitarlos a vivir en comunión con él.[12] Se revela a personas y al pueblo a lo largo de su historia para hacer una alianza de amor con ellos. Manifiesta la finalidad para la que fuimos creados: que todas las personas podamos llegar al Padre y participar de su naturaleza divina, por medio de Cristo Jesús —la Palabra hecha carne— gracias a la acción del Espíritu Santo (Ef 2, 18; 2 Pe 1, 4).

Este diálogo, en el que Dios sale a nuestro encuentro para que podamos gozar de su amor liberador y vivir en comunión con él, requiere nuestra participación libre y consciente. Esto implica acoger la Palabra con fe y apertura, dispuestos a responderle con la ofrenda de nuestra vida, única respuesta agradable a Dios. De esta manera, nuestras acciones dan testimonio de la presencia activa de Dios y confirman las enseñanzas de Jesús, haciendo realidad las promesas de Dios y convirtiendo nuestra vida en historia de salvación.

Para llevar la Palabra de Dios a los jóvenes, con su fuerza liberadora, capaz de convertir la angustia en paz; el rencor en amor; la desesperación en esperanza; la pereza en diligencia; la opresión en libertad..., es necesario conocerla, orar con ella y vivirla desde el fondo del corazón. En esto se fundamentan la Pastoral Bíblica Juvenil y la Animación Bíblica de la Pastoral Juvenil, acciones complementarias promovidas por el Instituto Fe y Vida, para llevar la Palabra de Dios a la vida del pueblo.

La *Pastoral Bíblica Juvenil* consiste en conectar la Sagrada Escritura con la experiencia de vida de los jóvenes —a nivel teórico y de práctica— en un proceso sistemático, continuo e integrador, que los lleva a actualizar,

MBJ

vivir y compartir el proyecto de Dios, al identificarse con Jesús y asumir su modo de ser, vivir, sentir y actuar aquí y ahora, y como meta de la vida.

La *Animación Bíblica de la Pastoral Juvenil* consiste en que los jóvenes, animados y orientados por su conocimiento de la Biblia, lleven la Palabra de Dios a otros jóvenes para que la conozcan, oren con ella, la vivan desde su corazón, y sean capaces de vivir y compartir el proyecto de Dios, al identificarse con Jesús y asumir su modo de ser, vivir, sentir y actuar aquí y ahora, y como meta de la vida.[13]

Esta Misión Bíblica promueve la "Pastoral Bíblica Juvenil", por parte de agentes de pastoral y formadores en la fe, y la "Animación Bíblica de la Pastoral Juvenil", por los jóvenes como protagonistas de la acción pastoral entre sus compañeros. La primera es necesaria para que la segunda se dé, pues sólo habiendo recibido la Palabra de Dios y habiéndola encarnado en la vida personal, pueden los jóvenes compartirla de manera significativa con otros jóvenes.

La Misión: fuente de discípulos misioneros entre los jóvenes

El proyecto de la Misión, "La Palabra se hace joven con los jóvenes", consiste en una serie de Misiones a ser realizadas periódicamente, con el fin de mantener a la iglesia joven en estado de misión. Así, un grupo cada vez más numeroso de adolescentes y jóvenes se capacitará progresivamente como discípulos misioneros.

La Iglesia insiste en que los jóvenes son los mejores evangelizadores de los jóvenes: las personas llamadas por Jesús a encarnar su Palabra en los ambientes juveniles. Por eso, la Iglesia promueve el protagonismo del joven de modo que la evangelización de la juventud sea hecha *por* los jóvenes, *con* los jóvenes, *desde* los jóvenes y *para* los jóvenes.

Por los jóvenes, supone invitarlos, convocarlos, capacitarlos y organizarlos para que puedan ser quienes lleven la Palabra de Dios a sus compañeros. Esto se logra al formar equipos de cuatro jóvenes: una pareja servirá como evangelizadores y la otra, como anfitriones. Siguiendo la imagen del sembrador, los jóvenes anfitriones son los que preparan la tierra al invitar a jóvenes a participar en la Misión, organizar los materiales para cada sesión y crear el espíritu de comunidad entre los participantes. Con su labor, la semilla del Evangelio sembrada por los evangelizadores mediante la proclamación de la Palabra y la facilitación de la oración y la reflexión, encontrará el terreno propicio para germinar y dar fruto.

Con los jóvenes, implica que el liderazgo adulto trabaja con los Equipos de Jóvenes Misioneros, como protagonistas de la acción pastoral. Lo cual incluye creer en los jóvenes, formarlos, asesorarlos y acompañarlos a lo largo de la Misión.

Desde los jóvenes, es tomar en cuenta su realidad personal, comunitaria y social, como punto de partida al hacer la reflexión a la luz de la Palabra de Dios. Este enfoque se asegura con la metodología utilizada en las sesiones bíblicas, que lleva al joven a reflexionar y a orar a partir de su experiencia.

Para los jóvenes, es la meta última de esta Misión. Se trata de llegar a miles de jóvenes en nuestro Continente, para llevarles la Palabra dadora de vida y facilitar que al encarnarse en ellos: sus angustias se tornen en paz; su soledad en comunidad; su apatía en fuerza que proviene del Espíritu; su desorientación en camino hacia el amor eterno con el Padre.

Así, de entre los participantes en la Misión, podrán salir jóvenes misioneros para Misiones futuras. Algunos de los jóvenes misioneros podrán convertirse en asesores y algunos asesores jóvenes, en formadores. La idea es generar un movimiento multiplicador de liderazgo evangelizador y misionero entre la juventud en el Continente Americano.

Cartas de nuestros pastores que animan la Misión

Al iniciar este Manual se presentan cartas de dos obispos que motivan a realizar la Misión en nombre de Jesús. Ambas cartas son relevantes dado que la Misión, "La Palabra se hace joven con los jóvenes", está diseñada para la Iglesia católica en el Continente Americano. Los dos obispos que animan la Misión, en nombre de la Iglesia católica, son:

- Monseñor José H. Gómez, Arzobispo de San Antonio, Texas; Presidente del Secretariado de Diversidad Cultural en la Iglesia, de la Conferencia de Obispos Católicos en Estados Unidos (USCCB por sus siglas en inglés).

- Monseñor Mariano José Parra Sandoval, Obispo de Ciudad Guayana, Venezuela; Presidente de la Sección Juventud, Consejo Episcopal Latinoamericano (CELAM).

1.2 PROCESO PARA IMPLEMENTAR LA MISIÓN

Esta sección presenta las grandes etapas de la Misión con sus respectivos pasos, para adquirir una visión general y los aspectos a considerar al planificarla.

Etapa 1: Preparación inicial

La etapa 1 está en manos de un líder organizador y un Equipo Central. Se pide que afiliar el Centro organizador al proyecto de la Misión, enviando sus datos al Instituto Fe y Vida a través del sitio web, www.MisionBiblicaJuvenil.org.

El Equipo considera el proyecto total y se centra en las actividades de la siguiente etapa. Conviene que el Equipo vea y comente el vídeo de capacitación y la presentación en PowerPoint, para adquirir una visión común sobre la Misión.

El tiempo de preparación dependerá de las circunstancias de cada centro organizador y de su realidad local. La primera vez que se organiza la Misión llevará más tiempo, pues hay que establecer el Equipo Central y estudiar a fondo sus cuatro publicaciones y los recursos con que se cuenta. El Apéndice 1 presenta una "Guía para usar los recursos de la Misión", pp. 62-69, para ver todos de manera general.

Etapa 2: Capacitación de los jóvenes misioneros

Esta etapa empieza al invitar a los candidatos a servir como jóvenes misioneros. En ella empieza el trabajo conjunto del Equipo Central y el de los jóvenes que serán los protagonistas en la Misión Bíblica Juvenil. Es una etapa clave, pues de la formación de los jóvenes misioneros dependerá, en gran parte, los frutos de este modelo de Misión juvenil, que tiene como una de sus metas la multiplicación de jóvenes misioneros.

Se recomienda realizar la primera Misión con líderes cuyo nivel de formación brinde cierta seguridad para que el proceso se lleve a cabo con éxito. En las siguientes Misiones será más fácil construir sobre una buena experiencia.

Etapa 3: Implementación de la Misión

Aunque la Misión Bíblica Juvenil es todo el proyecto, se define como la etapa de "implementación de la Misión" a la acción pastoral de los jóvenes misioneros. Esta etapa empieza con la Liturgia de Envío, culmina con la Liturgia de Clausura y termina con una evaluación conjunta del Equipo Central y los Equipos de Jóvenes Misioneros.

A continuación se presentan los pasos en cada etapa. Después hay un calendario para visualizar la Misión en cuanto al tiempo. El *Manual para el Equipo de Jóvenes Misioneros* incluye una versión abreviada del proceso de la Misión, para ayudar a los jóvenes a comprender todo el proyecto y valorar la importancia de su acción pastoral en él.

> **Ver *Manual para el EdeJM:***
> ➡ "Proceso de implementación de la Misión", pp. 51-56.

Etapa 1: Preparación inicial

1. Acogida de la Misión

La idea de implementar la Misión puede originarse en cualquier persona interesada en llevar la Palabra de Dios a los jóvenes. Pueden ser jóvenes líderes en la pastoral juvenil, formadores en la fe, sacerdotes, agentes de pastoral laicos, padres de familia, etcétera, Sin embargo, para que esto suceda, es indispensable que alguna/s persona/s que amen la Palabra y estén capacitadas asuman el compromiso de organizarla. A estas personas se les llama *líderes organizadores*.

2. Formación del Equipo Central

Las funciones del Equipo Central son: organizar y coordinar la Misión; conducir la capacitación de los jóvenes misioneros, y fomentar su protagonismo en la Misión. Este equipo se compone por adultos que sirven como formadores y asesores, bajo la coordinación del líder organizador.

Es importante que el equipo se constituya formalmente y se prepare para ejercer en armonía y con efectividad sus funciones. La oración personal y como equipo permita que el Espíritu Santo, siempre presente, una sus intenciones y sus acciones al mismo fin y así pueda desarrollar su tarea con entusiasmo, alegría y eficacia.

De hecho, el proyecto de la Misión tal y como está diseñado, ayuda también en la formación de futuros asesores para la pastoral juvenil. En muchas ocasiones hay personas que desean apoyar a los jóvenes y no saben cómo hacerlo. Ésta es una oportunidad para invitar a antiguos miembros de la pastoral juvenil, padres de familia que desean involucrarse con sus hijos adolescentes y miembros de la comunidad de fe que desean hacer una diferencia en el desarrollo humano y cristiano de los jóvenes.

MBJ

3. Estudio de los materiales y planificación

Cada miembro del Equipo Central deberá contar con una copia de las cuatro publicaciones de la Misión:

- *Manual para el Equipo Central*
- *Manual para el Equipo de Jóvenes Misioneros*
- *Cuaderno de la Misión*
- *Diario de la Misión*

Además, hay que familiarizarse con el sitio web de la Misión y los recursos que se ofrecen en él: www.MisionBiblicaJuvenil.org. Todos los materiales pueden bajarse de manera gratuita y, en algunos países, será posible comprar las publicaciones.

La Sección 1.3 de este *Manual* indica cómo estudiar las publicaciones y da algunas pistas para hacer la planificación inicial; ver pp. 33-36. Corresponde a cada Equipo Central saber cuándo está listo para planificar con detalle todo el proceso. En el Apéndice 2, p. 76, se da un ejemplo de calendario y en el sitio web se ofrece una plantilla para usarlo en la planificación local.

La Sección 1.4 habla de los centros organizadores como semillero de Misiones y de liderazgo juvenil comprometido; ver pp. 37-38. El Apéndice 2 presenta seis escenarios de centros con sus respectivas sedes y su potencial misionero, pp. 70-75.

4. Identificación de posibles jóvenes misioneros

Los jóvenes misioneros serán identificados personalmente por los miembros del Equipo Central, con base en el conocimiento que tengan de ellos y de las tareas que les tocará realizar. Antes de hacer una lista de jóvenes con potencial de servir como evangelizadores y/o anfitriones, el equipo debe revisar lo siguiente:

- El "Cuadro descriptivo de los equipos de la Misión", pp. 40-41, en este *Manual.*
- El "Decálogo del evangelizador/a" y el "Decálogo del anfitrión/a", en el *Manual para el Equipo de Jóvenes Misioneros,* pp. 60-61, respectivamente.
- El proceso completo de la Sesión 1, en el *Cuaderno de la Misión.*[*]

Ver *Manual para el EdeJM:*
→ "Decálogo del evangelizador/a" y "Decálogo del anfitrión/a", pp. 60-61.
Ver *Cuaderno de la Misión:*
→ Proceso completo de la Sesión 1.

---

[*] Las referencias al *Cuaderno* indican sólo el título de la sección o subsección que debe ver el lector. No se mencionan sus páginas porque las secciones pueden cambiar de paginación en los *Cuadernos* de las diferentes Misiones subsecuentes. Para identificar fácilmente estas secciones, conviene revisar el índice del *Cuaderno* con el que se está trabajando.

Etapa 2: Capacitación de los jóvenes misioneros

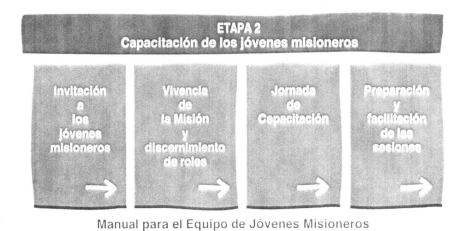

ETAPA 2
Capacitación de los jóvenes misioneros

| Invitación a los jóvenes misioneros | Vivencia de la Misión y discernimiento de roles | Jornada de Capacitación | Preparación y facilitación de las sesiones |

Manual para el Equipo de Jóvenes Misioneros

En esta etapa se presentan los pasos para la capacitación de los jóvenes misioneros, con la intención de tener una visión de conjunto. En la Parte 3 de este *Manual* se describen las diferentes actividades formativas (pp. 47-60); en el Apéndice 3, pp. 79-97, se ofrecen los procesos y los instrumentos necesarios para llevarlas a cabo.

1. Invitación a los jóvenes misioneros

La invitación a los jóvenes misioneros se realiza personalmente; la guía para hacerla se encuentra en la Sección 3.1, pp. 47-48. En el Apéndice 3, pp. 80-81, se incluye un ejemplo de la carta de autorización por los padres o tutores de menores de edad, requerida para actividades pastorales que se realizan en Estados Unidos.

Esta invitación se formaliza en una Convocatoria para los candidatos a ser jóvenes misioneros, la cual se describe en la Sección 3.2, pp. 48-49. El esquema de su proceso se encuentra en el Apéndice 3, pp. 82-84.

Antes de hacer la invitación personal, se debe tener las fechas de la Convocatoria, la Vivencia de la Misión y la Jornada de Capacitación. Es importante que los jóvenes las reserven de inmediato, ya que su participación en ellas es vital para ser miembros de un Equipo de Jóvenes Misioneros.

2. Vivencia de la Misión y discernimiento de roles

Una tarea clave del Equipo Central es facilitar la "Vivencia de la Misión por los jóvenes misioneros". La Sección 3.3, pp. 49-50, da una perspectiva general sobre ella.

Este evento se hará con base en el *Cuaderno de la Misión*. A través de sus cuatro sesiones bíblicas, los jóvenes recibirán el mensaje de la Misión. Al mismo tiempo, el uso del *Diario* les ayuda a encarnar el mensaje en su vida y se familiarizan con el proceso de las sesiones que facilitarán después.

MBJ

Se recomienda ofrecer la Misión en un retiro de fin semana, que incluya también el proceso de discernimiento de roles:

- **Viernes en la noche:** Hacer una introducción al proceso completo del fin de semana y tener una convivencia para que se conozcan mejor los participantes.

- **Sábado:** Llevar a cabo las tres primeras sesiones de la Misión.

- **Domingo:** Realizar la cuarta sesión, celebrar la Eucaristía y hacer el proceso de discernimiento.

El "Proceso de discernimiento para elegir un rol y hacer un compromiso solemne como joven misionero" está en el Apéndice 3, pp. 87-90. Por razones prácticas, se incluye en este proceso, una guía para instruir a los jóvenes sobre cómo prepararse para la Jornada de Capacitación, la cual se encuentra en el *Manual para el Equipo de Jóvenes Misioneros,* pp. 63-66.

Al terminar esta Misión, el Equipo Central sabrá ya con qué número de jóvenes misioneros cuenta. Eso le permitirá definir el número de sedes de la Misión que podrán tener y moverse a la siguiente etapa de planificación, en la que deberán también preparar la Cruz de la Misión y las cruces de los jóvenes misioneros.

> **Ver *Manual para el EdeJM:***
> → "Preparación por los jóvenes misioneros para la Jornada de Capacitación", pp. 63-66.

3. Jornada de Capacitación

La meta de la Jornada de Capacitación es preparar a los jóvenes misioneros para que asuman la visión y la mística de la Misión y se capaciten para servir como anfitriones o evangelizadores. En ella se les informará cómo quedaron conformados los Equipos de Jóvenes Misioneros y a qué sede de la Misión fueron asignados; el proceso recomendado para hacer esto se encuentra en la Sección 3.5, pp. 52-53.

La Jornada de Capacitación consta de formación teórica y práctica. Sus objetivos y una visión general sobre ella, se encuentran en la Sección 3.6, pp. 53-55. En el Apéndice 3, pp. 91-93 se presenta un esquema para realizarla en un día; queda a discreción del Equipo Central decidir si prefiere hacerla en un fin de semana o en varias sesiones.

4. Preparación de la facilitación de las sesiones

Los equipos de jóvenes continuarán reuniéndose para preparar las sesiones bíblicas y afinar los detalles relativos a cada una. Esta preparación es clave para el éxito de la Misión y significativa en el proceso de formación en la acción de los jóvenes misioneros. Se realiza en tres momentos, los cuales se presentan detalladamente en el *Cuaderno de la Misión:* (a) preparación inicial individual, (b) preparación previa en equipo y (c) preparación inmediata, el día de la sesión.

Los asesores asignados para acompañar a los equipos velarán para que los cuatro jóvenes misioneros coordinen y preparen bien las sesiones, con un liderazgo compartido. Al hacerlo, deberán respetar a los jóvenes como protagonistas de la acción y capacitarlos con tacto y seguridad para que crezcan como líderes cristianos y desarrollen de manera adecuada sus funciones.

> **Ver Cuaderno de la Misión:**
> ➡ "Introducción metodológica al Cuaderno".

Etapa 3: Implementación de la Misión

1. Liturgia de Envío

Para que la Misión adquiera la relevancia eclesial que merece, hay que lanzarla en una celebración litúrgica de envío de los jóvenes misioneros, siempre que sea posible, al final de una Eucaristía dominical. La visión general sobre esta liturgia se encuentra en la Sección 3.8, pp. 57-58. La guía para su celebración está en el *Manual para el Equipo de Jóvenes Misioneros,* pp. 73-77, dado que ellos deberán estar activos en su preparación y servir en ella.

En esta celebración se entrega a los jóvenes misioneros la Biblia y la Cruz de la Misión, que serán entronizadas en su sede, durante la primera sesión bíblica. También recibirán sus cruces personales, que los identifican como misioneros. Si la celebración se realiza en una Eucaristía dominical, la comunidad parroquial será testigo del envío e invitada a mantenerse en oración por la Misión y a participar en la Eucaristía de Clausura. Si se realiza en otro contexto, se sugiere invitar a las familias de los jóvenes misioneros, para que los acompañen con su oración ese día y durante de la Misión.

> **Ver *Manual para el EdeJM:***
> ➡ "Guías para las Liturgias de Envío y de Clausura", pp. 73-77.

MBJ

2. Invitación a participar en la Misión

Cada Equipo de Jóvenes Misioneros hará una lista común con los nombres de amigos, compañeros del colegio o trabajo, familiares y conocidos que desea invitar a la Misión. Decide el número máximo a participar en su sede, el cual se recomienda que sea entre 16 y 20 participantes, si los misioneros son adolescentes, y hasta 40, si son jóvenes adultos. Otros aspectos a considerar son el nivel de experiencia de los jóvenes misioneros y el tamaño del local en el que se realizará la Misión.

Si la lista es más larga que la capacidad de la sede, cada joven pondrá en orden de prioridad a sus candidatos y se organizará la lista equilibrando el número de invitados de cada uno. Si los primeros invitados no aceptan participar, se continuará con el resto de la lista. También es posible referirlos a otras Misiones que tendrán lugar cerca de donde viven o pensar en la posibilidad de ofrecer otra Misión en un futuro cercano.

Además de la invitación personal a posibles jóvenes participantes, hay que anunciar la Misión en la parroquia, al final de las Misas, así como a la totalidad de la membresía en el movimiento apostólico que la está ofreciendo, al estudiantado completo de un colegio o universidad. Esto ayudará a que se conozca la Misión y a que otras personas se animen a organizarla, sea en esta ocasión o en el futuro. La colocación de pósters; la distribución de carteles; la realización de anuncios en la estación de radio local, a través del sitio web, en un *blog,* por correo electrónico, son magníficos medios para dar a conocer la Misión, invitar a participar en ella y motivar el apoyo y la oración de la comunidad adulta.

3. Facilitación de las cuatro sesiones de la Misión

Cada Equipo de Jóvenes Misioneros seguirá el plan para las sesiones bíblicas, según el *Cuaderno de la Misión.* Ahí se indican las oraciones, actividades, contenidos, reflexiones, materiales, y las responsabilidades de cada evangelizador/a y anfitrión/a.

Para que los participantes reflexionen y oren sobre la misma versión del texto bíblico, se recomienda utilizar *La Biblia Católica para Jóvenes* o la *Biblia de América,* pues ambas tienen el mismo texto. Además, los pasajes que se usan en la Misión, fueron transcritos de ese texto, tanto en el *Cuaderno* como en el *Diario.* Los pasajes en inglés están tomados de *The Catholic Youth Bible, New American Bible Version.*

Las tres primeras sesiones pueden estar abiertas a nuevos participantes, si el equipo misionero lo ve factible. La última sesión corona la reflexión de las tres anteriores, por lo que no es adecuado tener nuevos participantes; en ella se invitará a los jóvenes a continuar su crecimiento en la fe integrándose a una comunidad juvenil eclesial, según las opciones disponibles, que serán presentadas por los jóvenes evangelizadores.

Al terminar cada sesión, los jóvenes misioneros y sus asesores deberán evaluarlas, utilizando los formatos que se presentan al final del *Cuaderno de la Misión.* Hay que hacer esta evaluación inmediatamente, para ser fieles a lo que sucedió. Al terminar la Misión se hará un resumen de las evaluaciones de todas las sesiones y se entregará al Equipo Central.

4. Liturgia de Clausura y convivencia

La Liturgia de Clausura culmina con broche de oro la Misión. Es una celebración alegre, juvenil, participativa y festiva, donde se reúnen los jóvenes misioneros y los participantes de diferentes sedes de la Misión, para ofrecer los frutos obtenidos a través de ella. La guía para esta liturgia está en el *Manual para el Equipo de Jóvenes Misioneros.*

El ideal es que se celebre durante la Eucaristía dominical. Como parte del ritual, el sacerdote o la persona que preside la celebración envía a los jóvenes a continuar su misión evangelizadora en la vida diaria y a profundizar en el mensaje de la Sagrada Escritura. Al terminar la celebración, las personas que participaron en ella son invitadas a una convivencia. Es una oportunidad para socializar, gozar juntos y hacer nuevas amistades.

> **Ver *Manual para el EdeJM:***
> ➡ "Guías para las Liturgias de Envío y de Clausura", pp. 73-80.

5. Evaluación y reporte final

Como se indica en el Círculo Pastoral, la evaluación pastoral es clave tanto para la formación de líderes como en la implementación de un proceso. De ahí que el Equipo Central sea responsable de: (a) evaluar cada una de las actividades formativas; (b) analizar los resúmenes de las evaluaciones entregadas por cada sede; (c) conducir la reflexión del proyecto total en conjunto con los jóvenes misioneros, y (d) elaborar el reporte final y enviarlo al Instituto Fe y Vida. Los formatos para las evaluaciones están en el Apéndice 4, pp. 98-113, y sus plantillas, en el sitio web.

El reporte final, pp. 114-116, es muy importante. Permite que el Instituto conozca el nivel de implementación de la Misión; mejore su trabajo en las siguientes Misiones, y pueda presentar un informe a las personas e instituciones que subvencionaron el proyecto. Por su lado, el Instituto Fe y Vida se compromete a compartir su análisis con los líderes organizadores que hayan enviado su reporte final. Esta retroalimentación ayudará a mejorar los procesos locales y la capacitación de los jóvenes misioneros.

1.3 LAS CUATRO PUBLICACIONES DE LA MISIÓN: SU ESTUDIO Y SU USO

Las cuatro publicaciones de la Misión —el *Manual para el Equipo Central*, el *Manual para el Equipo de Jóvenes Misioneros*, el *Cuaderno de la Misión* y el *Diario de la Misión*— están íntimamente relacionadas en cuanto a la logística para la implementación del proyecto. Los dos *Manuales* se mantienen constantes a lo largo de todas las Misiones; el *Cuaderno* y el *Diario* son diferentes en cada Misión. La siguiente tabla indica el objetivo, contenido y destinatarios de estos recursos.

VISIÓN CONJUNTA DE LAS CUATRO PUBLICACIONES			
Publicaciones	**Objetivos**	**Contenido**	**Destinatarios**
Manual para el Equipo Central	Capacitar al Equipo Central	Mística de la Misión Proceso y organización de la Misión Protagonismo de los jóvenes y el rol de los adultos en la Misión Evaluación final del proceso total	Equipo Central
Manual para el Equipo de Jóvenes Misioneros	Capacitar al Equipo de Jóvenes Misioneros	Mística de la Misión Protagonismo de los jóvenes y liderazgo compartido Ser misionero joven La Misión en acción	Equipo Central Equipo de Jóvenes Misioneros
Cuaderno de la Misión	Dar instrucciones metodológicas y presentar el proceso para las sesiones bíblicas	Instrucciones metodológicas Proceso total para las cuatro sesiones bíblicas Evaluaciones de las sesiones	Equipo Central Equipo de Jóvenes Misioneros
Diario de la Misión	Escribir la reflexión personal sobre el contenido de la Misión	Reflexiones y contenidos necesarios para cada sesión, desde la perspectiva de los participantes	Equipo Central Equipo de Jóvenes Misioneros Jóvenes participantes

Al estudiar y usar estas publicaciones, el Equipo Central debe considerar que su función principal es capacitar, fortalecer y empoderar a los jóvenes misioneros para que sean los protagonistas en la Misión y puedan facilitar sus sesiones bíblicas con éxito. Por lo tanto, debe tener presente el nivel de experiencia y formación de los jóvenes que servirán como evangelizadores y anfitriones.

Tan importante es ser realistas en cuanto a la formación que requieren los jóvenes misioneros, como reconocer los múltiples dones que aportan al proyecto. Entre más se trate a los jóvenes como personas capaces de llevar a cabo la Misión y enriquecerla con sus talentos, más se fomentará su desarrollo personal y su celo apostólico para amar y dar a conocer la Palabra de Dios. A continuación se presenta una guía para estudiar las publicaciones, documentos y recursos de la Misión, con el fin de conocerlos a fondo y poder capacitar a los jóvenes misioneros.

Guía para estudiar las publicaciones, documentos y recursos para la Misión

Para estudiar los materiales, se recomienda seguir estos pasos:

1. Ver, como equipo, el vídeo de capacitación y el PPT de la Misión, para:

   - Obtener una visión de conjunto sobre la Misión, su proceso, sus actores principales y el vocabulario que utiliza.

   - Identificar su enfoque teológico, pastoral, metodológico y de liderazgo.

   - Pensar para qué pueden ser útiles y cómo se usarán en la Jornada de Capacitación.

2. Analizar el proceso de la Misión y hacer una planificación inicial que ayude a:

   - Visualizar distintas posibilidades a su alcance para hacerla realidad.

   - Hacer una lista de lugares adecuados para las sedes.

   - Identificar a personas a quienes invitar a colaborar para que la Misión sea una realidad.

3. Conocer las características y el contenido de las cuatro publicaciones, para identificar las funciones que corresponden al Equipo Central y elegir el/los roles en los que puede colaborar cada uno:

   - Familiarizarse con el contenido y el formato del *Diario,* el *Cuaderno* y el *Manual para el Equipo de Jóvenes Misioneros.*

   - Saber cómo presentar a los jóvenes misioneros la mística de la Misión, su enfoque metodológico y las herramientas para que asuman su rol de protagonistas.

- Comprender el trabajo de los Equipos de Jóvenes Misioneros y los roles de evangelizador y anfitrión.

- Conocer cómo identificar a los jóvenes misioneros y en qué consisten los diversos procesos de formación y capacitación.

4. Estudiar la introducción al *Cuaderno de la Misión* y la primera sesión bíblica, consultar las referencias cruzadas en el *Diario,* con el fin de:

- Familiarizarse con los objetivos y mensajes vitales que guían cada una de las sesiones bíblicas.

- Ver cómo está organizado el plan de la sesión y decidir cómo utilizarlo al preparar y al facilitar las sesiones.

- Visualizar cómo se desempeñan los jóvenes misioneros en sus roles de evangelizadores y anfitriones.

- Conocer el estilo y nivel del lenguaje en el *Cuaderno* y decidir si se requieren adaptaciones o explicaciones pertinentes a la realidad local.

- Estudiar en el *Diario* cómo presentar las actividades a los participantes.

    Al preparar la Vivencia de la Misión para los jóvenes misioneros, los formadores y asesores deben seguir las instrucciones en la "Introducción metodológica al *Cuaderno",* en el *Cuaderno de la Misión*, y estudiar a fondo cada una de las sesiones. Al hacerlo, deberán anotar sus dudas y solucionarlas como equipo.

5. Conocer los documentos y recursos colocados en el sitio web, con el fin de:

- Saber con qué material de apoyo y de promoción se cuenta, y cuál debe ser manejado por los jóvenes misioneros.

- Decidir el proceso más adecuado para distribuir el material a los Equipos de Jóvenes Misioneros.

- Familiarizarse con: (a) el proceso de inscripción de las sedes de la Misión en el sitio web, y (b) el reporte final que tendrá que enviar el Equipo Central al Instituto Fe y Vida, también a través de la Web. Asignar a la persona responsable de estas tareas.

Uso de las publicaciones por los Equipos de Jóvenes Misioneros

La capacitación de los jóvenes misioneros está planeada para ser una experiencia vivencial, en la que la Palabra de Dios tiene el lugar central. De ahí la importancia de que al leer los textos bíblicos se haga directamente de la Sagrada Escritura, por lo que se recomienda que todos los jóvenes misioneros y el Equipo Central su propia Biblia, sea la *BCJ* regular o la edición especial para la Misión.

El *Diario*, el *Cuaderno* y el *Manual para el Equipo de Jóvenes Misioneros*, guían al Equipo Central para preparar su proceso de formación en la acción. De ahí que el presente *Manual* tenga referencias a las secciones de las otras tres publicaciones, donde se encuentra el contenido dirigido a los jóvenes misioneros.

Todas las publicaciones contribuyen a dar mística a la Misión, de modo que adquiera sentido en el marco de la acción misionera de la iglesia joven de hoy. Junto con los demás recursos ofrecidos a través del sitio web, proporcionan todos los elementos necesarios para que los jóvenes colaboren a la Nueva Evangelización del Continente Americano como discípulos misioneros.

A continuación se presentan las tres publicaciones que usan los jóvenes misioneros. Se empieza con el *Diario*, que es la primera publicación que manejan al vivir la Misión. Se continúa con el *Cuaderno*, dada su relación directa con el *Diario*. Se termina con el *Manual*, que se utiliza como instrumento de formación.

Diario de la Misión

El *Diario* contiene los pasajes de la Sagrada Escritura, las oraciones y las reflexiones que utilizan los jóvenes participantes en las cuatro sesiones bíblicas. Facilita el trabajo de los jóvenes misioneros al proveer a los participantes con un recurso donde escribir su experiencia, sentimientos y pensamientos durante la Misión.

Las notas que se escriban en el *Diario* son material personal y privado, a cuyo contenido sólo tendrá acceso su dueño/a y las personas con quien él o ella quiera compartirlo. Es importante ofrecerlo como un cuaderno y no como hojas sueltas, para mantener su valor espiritual y proveer a los participantes una experiencia de proceso.

Cuaderno de la Misión

El *Cuaderno* presenta el proceso, contenidos y actividades para cada sesión bíblica, indicando el liderazgo que ejercerá cada uno de los evangelizadores y anfitriones. Es un instrumento de preparación inmediata a las sesiones bíblicas y una guía detallada para conducirlas. Los formadores y asesores deben conocerlo a profundidad para facilitar la Vivencia de la Misión por los jóvenes misioneros, y poderlos asesorar y apoyar en su acción pastoral.

Manual para el Equipo de Jóvenes Misioneros

Este *Manual* proporciona la visión, orientación y guías específicas para que los jóvenes misioneros asuman su rol de protagonistas en la Misión. Fue diseñado aplicando el principio de subsidiariedad. Por lo tanto, contiene todo lo que los jóvenes misioneros deben conocer sobre los fundamentos, la mística y el proceso de la Misión, así como aportes para el buen ejercicio de su liderazgo.

1.4 LOS CENTROS ORGANIZADORES Y LAS SEDES DE LA MISIÓN

Los *centros organizadores* planifican y coordinan la Misión mediante el liderazgo de un Equipo Central y varios Equipos de Jóvenes Misioneros que la llevan a cabo en distintas sedes. Una parroquia, una diócesis, un movimiento apostólico, un colegio católico puede funcionar como centro organizador. Por cada Equipo de Jóvenes Misioneros — formado por dos evangelizadores y dos anfitriones— es posible tener una sede de la Misión.

Las *sedes* son los locales en donde se realiza la Misión. Están articuladas con el centro organizador, el cual puede tener tantas sedes como sea el número de jóvenes misioneros comprometidos que pueda identificar y capacitar un Equipo Central. Una meta realista y significativa, incluso en parroquias pequeñas, es tener tres misiones, ya que para ello se necesitan 12 jóvenes misioneros, el número de discípulos a los que Jesús confió la continuación de su misión.

Lo ideal es que las sedes estén repartidas en diferentes zonas de una localidad, para abarcar más territorio y ofrecer más opciones. También se pueden contemplar diferentes horarios para los jóvenes que trabajan o estudian.

La parroquia como un centro organizador clave

La parroquia, por su función e importancia en la Iglesia católica, es una pieza clave en el proyecto de la Misión. Como el lugar de encuentro de la comunidad de fe alrededor de la mesa del Señor, está invitada a abrir sus puertas a esta Misión. Le corresponde involucrar a sus adolescentes y jóvenes dispuestos a llevar la Palabra de Dios a sus amigos y compañeros.

La parroquia puede ser un lugar donde se reúne el Equipo Central, se capacita a los jóvenes y se lleva a cabo la Misión. Cuando la parroquia organiza la Misión, los jóvenes encuentran en ella un lugar para compartir su fe y estar en contacto con Dios. A su vez, esto rejuvenece la parroquia y renueva su espíritu evangelizador y misionero.

Conviene sectorizar la parroquia y crear sedes en todo su territorio, tomando en cuenta la realidad de los jóvenes, el lugar donde viven, el transporte disponible y sus horarios de escuela y trabajo. Cuando la parroquia cuenta con salones o espacios adecuados para que los jóvenes sesionen, podrá organizar varias sedes en sus instalaciones. Al final del Apéndice 2 se presenta un ejemplo de calendarización y uno, de distribución territorial de las sedes de la Misión, pp. 77 y 78 respectivamente.

Si las instalaciones parroquiales son insuficientes, se puede pedir a colegios católicos, grupos apostólicos, casas de retiros y padres de familia que ofrezcan sus salones y casas como sedes de la Misión. Por otro lado, habrá grupos de Iglesia, que necesiten el apoyo de una parroquia para celebrar el envío de los Equipos de Jóvenes Misioneros y la clausura de la Misión, durante la Eucaristía dominical.

Otros ámbitos eclesiales como centros organizadores de la Misión

Como la evangelización compete a toda la Iglesia, cualquier ámbito eclesial con interés en la juventud, puede realizar la Misión. Las arqui/diócesis, los colegios y universidades católicos, la pastoral juvenil y muchos movimientos apostólicos y congregaciones religiosas tienen como parte vital de su misión evangelizar a la juventud. De ahí que la Misión pueda organizarse en todos estos ámbitos, con la colaboración de sus equipos catequéticos, misioneros y de educadores.

El Apéndice 2 presenta seis escenarios de centros organizadores y su potencial misionero, pp. 70-75. El ideal reflejado en estos escenarios se logrará con el tiempo, cuando las primeras Misiones hayan generado entusiasmo y un número creciente de jóvenes misioneros que haya sido capacitado.

Las casas de familia como sedes de la Misión

Conviene utilizar casas de familia como sedes de la Misión donde es costumbre y está permitido. Esto favorece la extensión de este esfuerzo misionero y aumenta la participación de adolescentes y jóvenes. Cuando las sedes de la Misión están en las casas:

- Se necesita una casa para cada Equipo de Jóvenes Misioneros y se recomienda que uno de sus anfitriones/as viva en la casa sede.

- Lo ideal es que las casas estén bien repartidas en diferentes zonas de la localidad y que ofrezcan las sesiones en días y horario distintos, para facilitar que participen jóvenes que trabajan o estudian.

PARTE 2
EL PROTAGONISMO JUVENIL Y EL ROL DE LOS ADULTOS

> La Iglesia tiene tantas cosas que decir a los jóvenes, y los jóvenes tienen tantas cosas que decir a la Iglesia. Este recíproco diálogo [...] favorecerá el encuentro y el intercambio entre generaciones, y será fuente de riqueza y de juventud para la Iglesia y para la sociedad civil.
>
> —Juan Pablo II, *Christifidelis laici*

2.1 EL DINAMISMO VOCACIONAL EN LA MISIÓN

La pastoral juvenil, al realizarse por los jóvenes, con los jóvenes, desde los jóvenes y para los jóvenes, permite que sean ellos los primeros e inmediatos evangelizadores de sus compañeros, como lo pide la Iglesia. Este protagonismo, proveniente del Espíritu Santo y fundamental en la metodología, procesos y organización de la pastoral juvenil, constituye la energía vital que da dinamismo y entusiasmo a la Misión.

La capacitación de los jóvenes misioneros y el ejercicio de sus roles al facilitar las sesiones bíblicas les permiten asumir su vocación bautismal como discípulos misioneros. El proceso de formación en la acción, conducido con un liderazgo compartido, los convierte en auténticos protagonistas de la acción pastoral.

Al mismo tiempo, el proceso de la Misión brinda a la comunidad adulta una oportunidad de llevar a la práctica la opción preferencial por los jóvenes, hecha en la III Conferencia General del Episcopado Latinoamericano, en Puebla, 1979 y ratificada con frecuencia. Esta opción, para ser una realidad, implica la movilización de los católicos adultos al servicio de la juventud. Supone que:

- **Toda la comunidad adulta** debe apoyar los procesos de pastoral juvenil.

- **Un grupo grande de personas** debe ofrecer su tiempo, recursos y esfuerzo al servicio de este ministerio.

- **Un número significativo de líderes en la Iglesia** debe dedicarse a la juventud.

A continuación se ofrece un cuadro que presenta los roles y las tareas principales del Equipo Central y del Equipo de Jóvenes Misioneros. Este cuadro ayuda a visualizar cómo la acción de los adultos está en función del protagonismo juvenil y del cumplimiento de su vocación evangelizadora como cristianos.

La sección que aparece después del cuadro, presenta las características principales de los jóvenes a quienes está dirigida la Misión. Las sesiones bíblicas —además de entregar a los participantes la Buena Nueva de salvación traída por Jesús— los ayuda a adquirir conciencia de su vocación bautismal y a comprender su misión. El carácter comunitario y activo de las sesiones, permite que los jóvenes participantes también ejerzan un cierto protagonismo en la Misión.

CUADRO DESCRIPTIVO DE LOS EQUIPOS DE LA MISIÓN		
EL EQUIPO CENTRAL: PROMOTOR DEL PROTAGONISMO JUVENIL		
Roles	**Miembros potenciales**	**Tareas principales en función de los jóvenes misioneros**
Organizadores y formadores	• Sacerdotes, diáconos, religiosas/os, agentes de pastoral laicos • Responsables de la pastoral juvenil a cualquier nivel • Líderes en movimientos apostólicos • Catequistas con buena formación y habilidades para trabajar con jóvenes • Líderes comprometidos, capaces de trabajar con un estilo de liderazgo compartido	• Coordinar la Misión, sus sedes y sus Equipos de Jóvenes Misioneros • Invitar a adolescentes y a jóvenes a ser evangelizadores y anfitriones • Organizar la Vivencia de la Misión para los jóvenes misioneros, con los formadores sirviendo como evangelizadores • Capacitar a los jóvenes misioneros • Coordinar las Liturgias de Envío y de Clausura de la Misión, cuidando que los jóvenes misioneros tengan un rol activo en ambas celebraciones
Asesores	• Todas las categorías de personas mencionadas arriba • Jóvenes adultos capacitados como asesores juveniles • Padres de familia con buena formación en la fe y capaces de trabajar con adolescentes y/o jóvenes	• Servir como anfitriones en la Vivencia de la Misión por los jóvenes misioneros • Ejercer como asesores en las sesiones bíblicas, para dar confianza y orientar al equipo de jóvenes • Reconocer a los adolescentes y jóvenes como los protagonistas en la Misión y apoyarlos como tales

MBJ

EL EQUIPO DE JÓVENES MISIONEROS: PROTAGONISTA DE LA MISIÓN			
Roles	**Cualidades de los miembros potenciales**	**Tareas en común**	**Tareas específicas**
Evangeli- zadores	• Relación personal y comunitaria con Jesús • Formación y madurez en la fe, de acuerdo con su edad • Disponibilidad evidente de servicio a Dios y a la comunidad • Capacidad para servir como evangelizador/a o anfitrión/a	• Participar en la Convocatoria, Vivencia de la Misión y Jornada de Capacitación • Prepararse con estudio, oración y diálogo antes de cada sesión bíblica • Invitar a los jóvenes a participar en la Misión • Ejercer un liderazgo compartido para facilitar las sesiones bíblicas • Evaluar cada sesión bíblica	• Proclamar la Palabra de Dios • Presentar temas y explicar conceptos • Facilitar las oraciones, actividades y reflexiones
Anfitriones	• Disposición para participar en todo el proceso de la Misión • Habilidad para trabajar con un espíritu de liderazgo compartido		• Preparar la sede de la Misión • Preparar los materiales necesarios para cada sesión • Crear el ambiente de comunidad en las sesiones

Perfil de los jóvenes participantes en la Misión

La Misión está dirigida a adolescentes y jóvenes adultos, entre los 13 y los 30 años de edad, organizada según los procesos pastorales de cada país. Para que la Palabra de Dios se encarne en los jóvenes, conviene organizar las sedes de la Misión en grupos por edad; por ejemplo, de 13 y 14 años; de 15 a 17 años; de 18 a 22, y mayores de 22 años.

Es importante cuidar que, en cada sede de la Misión, los participantes sean menores o de la misma edad que los jóvenes misioneros. También hay que considerar el nivel de formación y experiencia de los jóvenes misioneros para decidir el tipo de audiencia a la que deben dirigir su acción misionera.

Se recomienda que cuando la Misión se lleve a cabo en casas, en ambientes con alta incidencia de delincuencia y drogadicción, sólo se invite a jóvenes de familias conocidas, para evitar problemas que rebasen la habilidad de un equipo misionero joven. Otra variable importante es el deseo a participar en la Misión; si los adolescentes van forzados por sus padres, será difícil para los jóvenes misioneros motivarlos a participar en las diversas actividades.

Tratar de llegar a un grupo grande de jóvenes participantes, poniendo en riesgo el éxito del liderazgo de los jóvenes misioneros, es contraproducente. El balance entre las características de los participantes y las cualidades y experiencia de los misioneros es clave. De ahí el papel vital del Equipo Central al dar dirección a la Misión y el de los asesores al acompañar a los adolescentes y jóvenes misioneros.

2.2 EL EQUIPO CENTRAL Y SUS FUNCIONES EN LA MISIÓN

El liderazgo del Equipo Central es esencial en dos dimensiones:

- **En función de sí mismo como Equipo Central.** El liderazgo compartido entre el líder organizador, los formadores y los asesores, y la manera de ejercerlo durante la formación en la acción de los jóvenes misioneros, tiene un fuerte impacto en cómo ejercerán ellos su liderazgo en las sesiones bíblicas.

- **En función de los Equipos de Jóvenes Misioneros.** La confianza en la capacidad y los dones de los jóvenes; el respeto a los decálogos de los evangelizadores, anfitriones y asesores, y el seguimiento de las pautas para el liderazgo de los jóvenes, aseguran su protagonismo, desarrollo humano y crecimiento cristiano, lo que impacta de forma positiva su labor evangelizadora.

El Equipo Central debe tener el número de miembros adecuado, con formación y experiencia para este proyecto. A continuación se presentan los tres roles en este Equipo y sus funciones: (a) el líder organizador como motor de la Misión; (b) los formadores como promotores clave de ella, y (c) los asesores como acompañantes indispensables en ella. Si fuera necesario, una persona puede ejercer más de un rol.

> **Ver *Manual para EdeJM:***
> → "Decálogos del evangelizador/a, anfitrión/a y asesor/a", pp. 60-62.
> → "Pautas para el liderazgo de los jóvenes misioneros", pp. 67-72.

El líder organizador como motor de la Misión

El rol del líder organizador es indispensable para que la Misión exista. Un buen organizador/a es capaz de crear y nutrir un equipo adulto, sólido, esperanzador y dinámico, que asegure el éxito de la Misión. Además, cuida la logística de las distintas etapas del proceso. Entre las acciones a realizar, destacan las siguientes:

1. Crear el Equipo Central con suficientes formadores y asesores, según el número de sedes de la Misión que se prevea tener.

2. Forjar un equipo con iniciativa y responsabilidad personal, capaz de ejercer un liderazgo compartido y lograr que los jóvenes misioneros pongan su fe en acción.

MBJ

3. Asignar el rol de formador/a o asesor/a a los miembros del Equipo Central, considerando sus dones naturales, brindándoles una oportunidad de desarrollo y crecimiento, y apoyándolos en su labor.

4. Proporcionar a cada miembro del Equipo una copia de los dos *Manuales,* el *Cuaderno* y el *Diario de la Misión,* motivándolos con el ejemplo a que los estudien y conozcan a fondo.

5. Calendarizar el proceso de implementación; cuidar que se cumplan los compromisos y el calendario, y supervisar que las sesiones bíblicas se lleven a cabo de manera adecuada.

6. Afiliar el centro al proyecto de la Misión a través del sitio web.

7. Asegurar que el Equipo Central realice una buena labor al identificar los jóvenes con potencial de servir en los equipos misioneros y que los formadores y asesores se preparen bien para cumplir sus funciones.

8. Definir el número de sedes de la Misión, según el número de Equipos de Jóvenes Misioneros comprometidos, y asignar asesores a los equipos que lo requieren.

9. Promocionar las sedes de la Misión y establecer contacto con otros centros organizadores en su región geográfica, congregación, movimiento, etcétera, con el fin de apoyarse mutuamente y ampliar la red de líderes al servicio de la juventud.

10. Organizar las Liturgias de Envío y de Clausura; obtener los locales para las sedes de la Misión, y explorar la posibilidad de que se ofrezca el Sacramento de la Reconciliación a los jóvenes participantes.

11. Elaborar el reporte final y enviarlo al Instituto Fe y Vida.

Los formadores como promotores clave de la Misión

Los formadores son personas de vida espiritual profunda, con educación bíblica, teológica y pastoral y experiencia en el trabajo con jóvenes. Como educadores en la fe y en la acción pastoral, conocen las etapas del desarrollo de los jóvenes, respetan la etapa de madurez en que se encuentran y los ayudan a crecer humana y cristianamente.

Ejercen su labor en la formación de los jóvenes misioneros: durante la Convocatoria, la Vivencia de la Misión y la Jornada de Capacitación. En la Vivencia de la Misión asumen el rol de evangelizadores. Posteriormente, pueden servir también como asesores. Entre sus tareas específicas a realizar, destacan:

1. Estudiar las cuatro publicaciones de la Misión, relacionando sus procesos y contenidos con su propia jornada de fe, para que al realizar su función como formadores, puedan compartir con los jóvenes desde su experiencia personal.

2. Invitar a jóvenes con cualidades para servir como jóvenes misioneros.

3. Organizar y facilitar la Vivencia de la Misión y la Jornada de Capacitación.

4. Servir como asesor a asesores que tienen experiencia limitada.

Los asesores como acompañantes indispensables en la Misión

Los asesores son guías capaces de dar dirección, orientación y apoyo, en los procesos de la Misión. Tienen criterio sobre el nivel de experiencia de los jóvenes y saben asesorarlos con respeto, al tiempo que velan por el bien de los jóvenes participantes.

El enfoque y el espíritu con que llevan a cabo su labor son tan importantes como la asesoría que ofrecen. Ésta es especialmente importante en la primera sesión bíblica y en situaciones de confusión o crisis.

Ser *asesor* no significa "coordinar", sino velar para que el equipo de jóvenes se auto-coordine, de modo que los cuatro aprendan a ejercer un liderazgo compartido. En este sentido, el asesor funciona como formador de líderes jóvenes, respetando su protagonismo en la Misión. Los tres decálogos, para el asesor, el evangelizador y el anfitrión —presentados en el *Manual para el Equipo de Jóvenes Misioneros*, pp. 60-62— les ayudarán a realizar su función.

> **Ver *Manual para el EdeJM:***
> ➡ "Decálogos del evangelizador/a, anfitrión/a y asesor/a", pp. 60-62.

Entre las tareas específicas a ser realizadas por los asesores, destacan:

1. Servir como anfitriones en la Vivencia de la Misión por los jóvenes misioneros y colaborar con los formadores en la Jornada de Capacitación.

2. Conocer a fondo las cuatro publicaciones y las funciones y actividades que desarrollarán los jóvenes.

3. Acompañar al Equipo de Jóvenes Misioneros asignado, en la preparación y en la facilitación de las cuatro sesiones bíblicas, asegurándose de que las conduzcan de forma adecuada.

4. Discernir si se necesita hacer algún ajuste a las actividades de cada sesión, según el tiempo con que se cuente, las características de los participantes y las necesidades del grupo, y ayudar a que los jóvenes misioneros realicen las adaptaciones requeridas.

5. Asesorar a los jóvenes sobre los distintos procesos y/o modelar cómo deben ejercer sus roles, de modo que la sesión de preparación les sirva de práctica.

6. Apoyar en la creación de los grupos pequeños en que se trabajarán algunas actividades y asegurarse de que los evangelizadores promuevan que todos los participantes compartan sus reflexiones.

7. Recibir la evaluación de cada sesión bíblica; recomendar ajustes a las siguientes sesiones, si fuera necesario, y cerciorarse de que la síntesis final sea entregada al Equipo Central.

2.3 FORMACIÓN Y CAPACITACIÓN DE LOS JÓVENES MISIONEROS POR EL EQUIPO CENTRAL

Una de las metas de la Misión es promover la vocación evangelizadora del liderazgo juvenil católico. Esta meta tiene dos componentes: (a) la vocación de todo cristiano a evangelizar (Mt 28, 17-20), y (b) la formación y capacitación de jóvenes católicos como líderes misioneros. Por lo tanto, la gran tarea del Equipo Central es dar a los líderes jóvenes la formación bíblica, espiritual, teológica y pastoral que necesitan para comprender, valorar y asumir su misión evangelizadora, así como capacitarlos en técnicas de liderazgo, procesos metodológicos y habilidades organizativas, que los ayuden a desarrollar un liderazgo comprometido y eficiente en este proyecto.

Desde el momento en que los jóvenes son invitados a ser misioneros, empieza su proceso de formación en la acción. El cuadro que se presenta a continuación muestra las actividades formativas que son responsabilidad del Equipo Central. En el *Manual para el Equipo de Jóvenes Misioneros,* p. 59, existe un cuadro semejante, que les permite ver las actividades formativas desde su propia perspectiva.

En el cuadro, cuando en la columna "Contenidos y procesos" se mencionan "secciones" y "apéndices", estos corresponden a este *Manual.* Las referencias a otras publicaciones están claramente indicadas.

> **Ver *Manual para el EdeJM:***
>
> ➡ "Proceso de formación en la acción desde la perspectiva de los jóvenes", p. 59.

CUADRO DE ACTIVIDADES FORMATIVAS DESDE LA PERSPECTIVA DEL EQUIPO CENTRAL		
Actividades	**Objetivos**	**Contenidos y procesos**
1. Invitación a los candidatos	Invitar en nombre de Jesús a ser joven misionero/a entre sus compañeros.	• Sección 3.1 • Apéndice 3, no. 1
2. Convocatoria	Reunir a los candidatos para que conozcan la Misión, ratificar la invitación y que se comprometan formalmente a capacitarse y servir como jóvenes misioneros.	• Sección 3.2 • Apéndice 3, nos. 2, 3 y 4
3. Vivencia de la Misión por los jóvenes misioneros	Ofrecer las cuatro sesiones bíblicas a los jóvenes misioneros para que reciban el mensaje de Jesús y tengan experiencia personal sobre los procesos que facilitarán.	• Sección 3.3 • *Cuaderno:* (a) Introducción metodológica y (b) Proceso de las cuatro sesiones
4. Discernimiento de roles e instrucciones para la Jornada de Capacitación	• Facilitar un proceso de discernimiento para identificar el rol específico a realizar. • Instruir a los jóvenes sobre cómo deben prepararse para la Jornada de Capacitación.	• Sección 3.4 • Apéndice 3, no. 5
5. Creación de los Equipos de Jóvenes Misioneros y ubicación de las sedes	Integrar equipos equilibrados, con dones complementarios que ayuden a ejercer un liderazgo compartido.	• Sección 3.5
6. Jornada de Capacitación	Presentar el marco teológico-pastoral, revisar el proceso, esclarecer dudas, integrar los equipos y dar formación para los roles.	• Sección 3.6 • Apéndice 3, no. 6
7. Facilitación de la Misión por los jóvenes misioneros	• Capacitar a un grupo numeroso de jóvenes como misioneros de la Palabra. • Evangelizar con la Palabra a través de un liderazgo juvenil bien formado.	Las cuatro publicaciones de la Misión, en su totalidad, ayudan a lograr estos objetivos, que son el corazón de la Misión
8. Liturgias de Envío y de Clausura	Abrir y cerrar la Misión con celebraciones litúrgicas, con los jóvenes sirviendo en ellas.	• Sección 3.8 • *Manual EdeJM,* pp. 73-80.
9. Asesoría a los jóvenes misioneros	Ofrecer guía, apoyo y asesoría para facilitar las sesiones bíblicas.	• Sección 2.2 • *Manual EdeJM,* pp. 42-44.
10. Evaluaciones y reporte final sobre la acción pastoral en la Misión	Tomar conciencia del alcance de la Misión, los éxitos, desafíos, errores y posibilidad de mejorar las misiones subsecuentes.	• *Cuaderno:* Evaluación de las sesiones • Apéndice 4: Evaluaciones y reporte final

PARTE 3
PROCESOS
PARA LA FORMACIÓN Y CAPACITACIÓN DE LOS EQUIPOS DE JÓVENES MISIONEROS

> *Queridos jóvenes, la Iglesia necesita auténticos testigos para la nueva evangelización: hombres y mujeres cuya vida haya sido transformada por el encuentro con Jesús; hombres y mujeres capaces de comunicar esta experiencia a los demás.*
>
> —Juan Pablo II
> *XX Jornada Mundial de la Juventud*

Esta tercera parte ofrece una mirada general a todas las actividades formativas. Los procesos para desarrollarlas y sus recursos específicos, están en el Apéndice 3, pp. 79-97.

3.1 INVITACIÓN A LOS CANDIDATOS A SERVIR COMO JÓVENES MISIONEROS

La invitación personal para ser joven misionero/a marca el comienzo de su jornada de formación en la acción. La ratificación formal de esta invitación se hace durante la Convocatoria, en donde los jóvenes asumen su compromiso con la Misión en un contexto eclesial.

Invitación personal a ser joven misionero/a

El espíritu y la manera como se hace la invitación son sumamente relevantes. Los jóvenes deben sentir el llamado personal de Jesús, hecho con confianza y entusiasmo, al tiempo que se respeta su libertad interior para decidir si desean y pueden ser miembros de un Equipo de Jóvenes Misioneros. Al extender la invitación a los jóvenes, hay que hacer lo siguiente:

- Decirles que fueron considerados para esta Misión Bíblica Juvenil por los dones que Dios les ha dado y su nivel de formación en la fe.

- Asegurarles que recibirán la formación adecuada para servir como misioneros en este proyecto y que se les darán todos los materiales y recursos necesarios.

- Explicarles que su capacitación consistirá en un proceso de formación en la acción, que abarca siete actividades: (a) una Convocatoria; (b) la Vivencia de la Misión; (c) una Jornada de Capacitación; (d) la preparación de cuatro sesiones bíblicas; (e) la conducción de las sesiones; (f) las Liturgias de Apertura y Clausura de la Misión, y (g) una reflexión final sobre la acción pastoral.

- Pedirles que respondan a la invitación tan pronto como les sea posible. Dar por escrito las fechas de las tres actividades formativas en que deberán participar: la Convocatoria, la Vivencia de la Misión y la Jornada de Capacitación.

- Notificar a los menores de edad que contarán con un asesor adulto a lo largo de todo el proceso e informar a los jóvenes adultos que habrá asesores disponibles en caso necesario.

- Entregar a los menores de edad la "Petición de autorización a los padres o tutores", para participar como joven misionero/a, cuando así se requiera.

Autorización de los padres o tutores de menores de edad

En Estados Unidos es requisito legal obtener el permiso por escrito de los padres o tutores para cualquier actividad pastoral en la que participen sus hijos menores de edad. Asimismo, es obligación tener adultos que los supervisen en dichas actividades.

Para facilitar este trámite, se ofrece una muestra de la carta para ser enviada por el líder organizador a los padres o tutores, y un "Formato de autorización" para ser regresado por uno de ellos, debidamente firmado y fechado, el día de la Convocatoria, que es la primera actividad formal de la Misión. Ver Apéndice 3, pp. 80-81.

3.2 LA CONVOCATORIA: PRIMERA ACTIVIDAD FORMAL DE LA MISIÓN

La Convocatoria tiene tres fines: (a) formalizar la invitación a los candidatos a ser jóvenes misioneros; (b) presentarles el proyecto total de la Misión, y (c) obtener su compromiso a capacitarse y a ser miembros de un equipo misionero. El proceso dura dos horas y media. En esta ocasión los jóvenes experimentarán la mística de la Misión por primera vez. Por ello hay que preparar con esmero la presentación en PowerPoint, así como sus momentos de oración, reflexión y canto, y dar al local un ambiente que manifieste a los jóvenes la importancia de este evento.

Proceso de la Convocatoria

El "Proceso para la Convocatoria de los candidatos a ser jóvenes misioneros" se presenta en el Apéndice 3, pp. 82-84. También se incluye una "Tarjeta de compromiso como miembro del Equipo de Jóvenes Misioneros", p. 85, y un "Formulario de inscripción al Equipo de Jóvenes Misioneros", p. 86. Al final de la Convocatoria, en Estados Unidos y los países que lo requieran, habrá que recoger el "Formato de autorización de los padres o tutores" de los menores de edad.

Entre la Convocatoria y la Vivencia de la Misión, el Equipo Central debe dar seguimiento a los jóvenes para mantenerlos entusiasmados y asegurar su participación en la Misión y, posteriormente, durante la Jornada de Capacitación. Para ello conviene dividirse entre los miembros del Equipo Central la lista de los jóvenes misioneros.

MBJ

Evaluación del proceso de la Convocatoria

Después de la Convocatoria, el Equipo Central deberá realizar su evaluación, la cual consta de cuatro partes:

1. **Evaluación de la acción del Equipo Central**: Sirve para mejorar misiones subsecuentes y otros eventos similares.

2. **Apreciación de los jóvenes misioneros:** Ayuda a conocerlos mejor e identificar ajustes que realizar y aspectos a enfatizar durante la Vivencia de la Misión.

3. **Registro de datos relevantes:** Sirve para la buena organización de la Misión.

4. **Percepciones generales:** Facilita una visión global sobre los frutos de la Convocatoria y los desafíos que presentó, y permite registrar sugerencias para Misiones subsecuentes, así como comentarios y recomendaciones para el Instituto Fe y Vida.

El instrumento de evaluación está en el Apéndice 4, pp. 99-101. Su plantilla en Word, para facilitar su uso, se encuentra en el sitio web.

3.3 VIVENCIA DE LA MISIÓN POR LOS JÓVENES MISIONEROS

Una de las funciones primordiales del Equipo Central es facilitar la Vivencia de la Misión por los jóvenes misioneros. En ella, los jóvenes misioneros recibirán el mensaje de la Palabra de Dios que comunicarán después a sus compañeros, habiendo tenido oportunidad de encarnarlo en su vida. Al vivir las cuatro sesiones, realizar sus actividades y utilizar el *Diario,* adquirirán experiencia de primera mano sobre los procesos que conducirán después. Además, podrán valorar el liderazgo compartido, al ver cómo es ejercido por el Equipo Central.

Preparación e implementación de la Misión

La preparación de las sesiones por el Equipo Central debe hacerse con cuidado. Hay que prestar atención a los detalles, la duración de los procesos y el tiempo para las actividades. También habrá que preparar todos los materiales necesarios. Las instrucciones para preparar las sesiones están en la "Introducción metodológica al *Cuaderno",* Segunda sección. Dos miembros del Equipo Central deberán asignarse los roles de evangelizador/a "A" y "B" y otros dos de anfitrión/a "A" y "B", para conducir las sesiones siguiendo el mismo proceso con que lo harán los jóvenes misioneros.

> **Ver *Cuaderno de la Misión:***
>
> ➡ "Introducción metodológica
>   al *Cuaderno,* Segunda sección:
>   Guía para preparar la conducción
>   de cada sesión"

Si el Equipo Central tiene más de cuatro miembros, se recomienda que todos tengan experiencia con el proceso, desempeñando uno de los roles en por lo menos una sesión, ya que les será muy valioso para el acompañamiento de los jóvenes. Al prepararse, deberán identificar los contenidos, procesos y actividades, que puedan ser desafiantes para los jóvenes y los que requieran ser adaptados a la realidad local.

Al facilitar la Vivencia de la Misión, el Equipo Central debe observar cómo participan los jóvenes. Su involucramiento al vivir la Misión puede dar pistas valiosas para ayudarlos a discernir su rol como evangelizador/a o anfitrión/a, crear equipos balanceados, así como identificar a los jóvenes que no están listos para servir en ninguno de los dos roles.

Evaluación de la Vivencia de la Misión

La evaluación de la Vivencia de la Misión tiene cinco partes:

1. **Diálogo evaluativo después de las Sesiones 1 y 3:** Sirve para mejorar las siguientes sesiones, en caso necesario.

2. **Evaluación de la acción del Equipo Central:** Ayuda a capacitar y asesorar mejor a los jóvenes misioneros, al identificar los desafíos que tendrán que enfrentar cuando desempeñen sus roles.

3. **Apreciación de los jóvenes misioneros:** Sirve para conocer su disposición a la oración y a la reflexión, así como para identificar posibles personalidades difíciles o conflictivas, y a jóvenes no maduros para servir como misioneros en esta ocasión.

4. **Análisis de las cuatro sesiones bíblicas:** Ayuda a identificar instrucciones que requieran ser más claras, o procesos y actividades que necesiten ajustar en la Misión a ser facilitadas por los jóvenes.

5. **Percepciones generales sobre las sesiones bíblicas:** Facilita una visión general de sus frutos y desafíos, y permite registrar sugerencias para mejorar Misiones subsecuentes.

El instrumento de evaluación está en el Apéndice 4, pp. 102-105. Su plantilla en Word, para facilitar su uso, se encuentra en el sitio web.

3.4 DISCERNIMIENTO DE ROLES
COMO EVANGELIZADOR/A O ANFITRIÓN/A

El proceso de discernimiento para la elección de los roles por los jóvenes misioneros sucede al terminar la Vivencia de la Misión. Tiene una duración de una hora y media, y consta de tres momentos: (a) personal, (b) comunitario, y (c) de balance de los roles. Tiene insertado un tiempo para dar instrucciones de cómo deben los jóvenes prepararse para la Jornada de Capacitación. El proceso termina con un compromiso solemne a ser parte de un Equipo de Jóvenes Misioneros.

Proceso de discernimiento

Después de haber vivido las cuatro sesiones bíblicas, los jóvenes misioneros están listos para eligir su rol como evangelizador/a o anfitrión/a, con base en la experiencia recién tenida, así como la espiritualidad y las funciones propias de cada rol. El *Manual para el Equipo de Jóvenes Misioneros* presenta los dos últimos aspectos, en las secciones citadas en el siguiente recuadro.

> **Ver *Manual para el EdeJM:***
> ➡ "Jesús quiere que la Palabra se haga joven con los jóvenes", pp. 17-18.
> ➡ "El cuerpo místico de Cristo en acción", pp. 18-20.
> ➡ "Formación en la acción de los jóvenes misioneros", p. 58-62.

El proceso para discernir la elección de un rol está en el Apéndice 3, pp. 87-90. Este discernimiento debe de hacerse en espíritu de oración profunda y disponibilidad a las mociones del Espíritu Santo y a la motivación de la comunidad, tomando en cuenta los dones necesarios para cada rol y el bien de los jóvenes que participarán en la Misión.

El rol al que se comprometan los jóvenes en esta ocasión, deberá ser ejercido a lo largo de todas las sesiones. La creación de los equipos será hecha posteriormente por el Equipo Central y se informará a los jóvenes en la Jornada de Capacitación.

Si algunos jóvenes decidieran no integrarse como miembros de un equipo o si el Equipo Central identificara a jóvenes aún no maduros para ser misioneros, es el momento de hablar con ellos para liberarlos del compromiso. Esto deberá hacerse individualmente, con respeto, delicadeza y prudencia, invitándolos a apoyar la Misión con su oración y motivándolos a invitar a otros jóvenes para que participen en ella.

Posteriormente, si uno/a de los evangelizadores no pudiera ejercer su rol por causa de fuerza mayor, se recomienda que uno/a de los anfitriones asuma su papel. Si ninguno de ellos está listo para dicha función, será más conveniente invitar a otro evangelizador/a. En caso de que la emergencia la tenga uno/a de los anfitriones, se puede invitar a algún/a participante como suplente.

Instrucciones para que los jóvenes misioneros preparen la Jornada de Capacitación

Para alcanzar los objetivos de la Jornada de Capacitación se requiere que los jóvenes se preparen de antemano, según se indica en el *Manual para el Equipo de Jóvenes Misioneros*, pp. 63-66. Para ello hay que dar instrucciones claras en el tiempo designado durante el proceso de discernimiento de roles, antes de que los jóvenes realicen su compromiso solemne a servir como evangelizadores o anfitriones. Ver el Apéndice 3, pp. 87-90.

> **Ver *Manual para el EdeJM*:**
> → "Preparación por los jóvenes misioneros para la Jornada de Capacitación", pp. 63-66.

Evaluación del proceso de discernimiento

La evaluación del proceso de discernimiento de roles tiene tres partes:

1. **Evaluación de la acción del Equipo Central:** Ayuda a analizar la calidad con la que se condujo el proceso.

2. **Apreciación de los jóvenes misioneros:** Sirve para profundizar el conocimiento de los jóvenes, con miras a la creación de los equipos para cada sede.

3. **Percepción general:** Da oportunidad de registrar las sugerencias para mejorar este proceso en Misiones subsecuentes, y las observaciones y recomendaciones para el Instituto Fe y Vida.

3.5 CREACIÓN DE LOS EQUIPOS DE JÓVENES MISIONEROS Y UBICACIÓN DE LAS SEDES

Se recomienda que la creación de los Equipos de Jóvenes Misioneros la haga el Equipo Central en una reunión especial. Es importante que estén presentes todos los miembros del equipo, pues cada persona conocerá mejor a diferentes jóvenes.

Creación de los equipos y asignación de los asesores

Para organizar los equipos, se sugiere hacer lo siguiente:

- Clasificar a los evangelizadores en tres categorías según su nivel de formación en la fe, capacidad de liderazgo, experiencia pastoral y habilidad para dirigir procesos, por ejemplo, avanzados, regulares y principiantes.

- Clasificar a los anfitriones en tres categorías según su capacidad organizativa, creatividad, facilidad de crear ambiente de comunidad y habilidades manuales.

MBJ

- Formar parejas de evangelizadores y de anfitriones, tomando en cuenta los niveles anteriores, sus dones y cualidades personales y el proceso de las sesiones.

- Seleccionar una pareja de evangelizadores y una pareja de anfitriones para formar un equipo, buscando que los jóvenes se complementen en cuanto a su experiencia, formación pastoral, habilidades, sexo, etcétera. También conviene considerar la similitud de horarios para reunirse a preparar y conducir las sesiones.

Este es el momento para asignar asesores a los equipos que lo requieran. Es esencial asegurarse de que todos los equipos de adolescentes tengan asesor/a, al igual que los equipos de jóvenes con poca experiencia pastoral. Es posible que una persona asesore a varios equipos, siempre y cuando las sesiones bíblicas sean en fechas diferentes, pues si su rol es importante en la etapa de preparación, también lo es durante la conducción de las sesiones.

Ubicación de las sedes de la Misión y asignación de los equipos

También es parte de la agenda de esta reunión asignar las sedes de la Misión a los equipos recién formados. Esto supone que el líder organizador tiene de antemano identificados los locales, las fechas y los horarios disponibles.

La asignación de los asesores es tan importante que, si fuera necesario, hay que calendarizar las sesiones, de modo que todos los equipos que requieran asesor/a, puedan tenerlo. Los lugares o movimientos apostólicos que cuentan con líderes jóvenes capacitados, pueden calendarizar las Misiones conducidas por ellos primero, y contar con algunos de ellos como asesores de Misiones posteriores, pues habrán aumentado esta experiencia personal a su capacitación.

Conviene hacer el proceso de asignación de las sedes, de manera visual, para lo cual pueden servir los ejemplos del "Calendario para planificar la Misión" y el de la "Calendarización de las sedes de la Misión", Apéndice 2, pp. 76 y 77. Si hubiera varias sedes en una parroquia, escuela o barrio, se recomienda dar un nombre inspirador a cada una, además de identificarla por su lugar geográfico.

3.6 JORNADA DE CAPACITACIÓN: PREPARACIÓN PARA LA PRAXIS MISIONERA

La Jornada de Capacitación es clave como preparación para la *praxis misionera*, entendiendo ésta como una acción pastoral que tiene integrada la reflexión sobre ella, con el fin de generar un crecimiento cristiano en los participantes y una mejora de su labor pastoral. La Jornada está organizada en cuatro bloques temáticos: (a) Introducción a la Jornada; (b) Mística de la Misión; (c) Ser misionero joven, y (d) La Misión en acción. Está calculada para ser una experiencia intensa de un día, adaptable fácilmente a un fin de semana o a varias sesiones consecutivas.

A continuación se enlistan sus objetivos y después se ofrecen comentarios sobre su proceso, el cual se explicita en el "Esquema del proceso de la Jornada de Capacitación", Apéndice 3, pp. 91-93. Por último, se presentan a grandes rasgos los aspectos relevantes en su evaluación.

Objetivos de la Jornada de Capacitación

La Jornada de Capacitación tiene los siguientes objetivos:

1. Presentar los fundamentos teológico-pastorales y el proceso total de la Misión para que la experiencia que tuvieron los jóvenes al vivir las cuatro sesiones bíblicas, sea más enriquecedora y puedan asumir mejor su compromiso como jóvenes misioneros.

2. Explicitar el enfoque metodológico y de liderazgo compartido que se utiliza en la facilitación de las cuatro sesiones bíblicas.

3. Recordar las etapas de desarrollo humano y crecimiento cristiano en la juventud, para que los jóvenes misioneros reflexionen sobre la jornada de su vida y tengan cierta idea sobre las etapas de desarrollo en que pueden estar los participantes en la sede de la Misión.

4. Revisar el *Manual para los Jóvenes Misioneros*, el *Cuaderno* y el *Diario,* para esclarecer las dudas identificadas al estudiar estas publicaciones, según se les pidió antes de hacer su compromiso solemne como jóvenes misioneros.

5. Dar a conocer cómo se realizarán las Liturgias de Envío y de Clausura de la Misión.

6. Formar los Equipos de Jóvenes Misioneros y capacitarlos para que puedan cumplir sus funciones como evangelizadores o anfitriones.

7. Organizarse como equipo asignado a cada sede de la Misión; calendarizar las fechas para reunirse a preparar las sesiones bíblicas, y llegar a un acuerdo sobre otros detalles importantes para iniciar su labor de equipo.

Proceso de la Jornada de Capacitación

Los cuatro bloques en la Jornada de Capacitación son los siguientes:

1. **Introducción a la Jornada:** Se inicia con la bienvenida, la presentación de la agenda y la oración inicial. Continúa con una orientación sobre la Misión realizada con el vídeo de capacitación o la presentación en PowerPoint, seguida por una sesión de preguntas y respuestas.

2. **Mística de la Misión:** Se centra en el llamado de Jesús a ser misioneros en la Nueva Evangelización; revisa los fundamentos teológico-pastorales de la Misión, y ayuda a incrementar la conciencia del protagonismo de los jóvenes.

3. **Ser misionero joven:** Se enfoca en la metodología de la Misión; ayuda a valorar el liderazgo compartido; sitúa la acción evangelizadora en el aquí y ahora, y reflexiona sobre el desarrollo humano y el crecimiento cristiano del/a joven.

4. **La Misión en acción:** Se refiere a la organización y la logística de la Misión; se definen los equipos misioneros y las sedes; se capacita a los jóvenes para sus roles como evangelizadores/as o anfitriones/as; se organizan los equipos para la preparación y conducción de las sesiones bíblicas y para su participación en la Liturgia de Envío. Oran en equipo y evalúan la Jornada de Capacitación.

El "Esquema para la Jornada de Capacitación", pp. 91-93, señala los temas a tratar y las actividades a realizar. El contenido de los temas está desarrollado a lo largo del *Manual para el Equipo de Jóvenes Misioneros* y en la introducción del *Cuaderno de la Misión,* dado que los jóvenes misioneros necesitan estar familiarizados con él.

La forma de hacer las presentaciones y las actividades queda a la creatividad del Equipo Central. Tanto unas como otras deben distribuirse entre los formadores y asesores, para seguir modelando el liderazgo compartido y corresponsable.

Si no se pudiera presentar el vídeo de capacitación, deberá hacerse de nuevo la presentación del PowerPoint para recordar a los jóvenes en qué consiste la Misión. También habrá que aumentar el tiempo asignado a las presentaciones sobre la Nueva Evangelización, el Círculo Pastoral y el liderazgo compartido.

Se han contemplado varios momentos de preguntas y respuestas. Al principio conviene centrarse en preguntas de índole general, pues los jóvenes tendrán oportunidad de analizar más a fondo el *Cuaderno,* conforme avanza la Jornada, y de resolver algunas dudas concretas, al trabajar en equipo.

Evaluación del proceso de la Jornada de Capacitación

La evaluación del proceso de la Jornada de Capacitación consta de cinco partes:

1. **Evaluación de la acción del Equipo Central:** Ayuda a analizar los diferentes momentos del proceso y el ejercicio de su liderazgo como equipo.

2. **Apreciación de los jóvenes misioneros:** Sirve para conocerlos mejor y ser más efectivos en su acompañamiento y la asesoría que necesitan.

3. **Análisis de los Equipos de Jóvenes Misioneros:** Ayuda a apreciar el nivel inicial en su integración como equipo; a visualizar su equilibrio en cuanto a personalidades y habilidades, y a identificar si la asignación de asesores hecha previamente es adecuada.

4. **Datos relevantes:** Sirve para registrar los datos que se desprenden de este evento y que son necesarios para la organización de las siguientes actividades de la Misión.

5. **Percepciones generales:** Facilita una visión global de la Jornada, con sus frutos y desafíos; sirve para registrar sugerencias para Misiones subsecuentes, y las observaciones y recomendaciones para el Instituto Fe y Vida.

El instrumento de evaluación está en el Apéndice 4, pp. 108-111. Su plantilla en Word, para facilitar su uso, se encuentra en el sitio web.

3.7 FACILITACIÓN DE LA MISIÓN POR LOS JÓVENES MISIONEROS

La conducción de las cuatro sesiones bíblicas por los jóvenes misioneros es la cúspide del proyecto de la Misión, "La Palabra se hace joven con los jóvenes". Esta actividad corona el proceso de formación en la acción de los jóvenes como líderes misioneros. De ahí la relevancia de que los equipos realicen una preparación cuidadosa y completa de cada sesión.

Preparación de las sesiones en cada sede de la Misión

Toda la capacitación recibida hasta este momento es el fundamento sobre el que los jóvenes misioneros se basarán para preparar las sesiones. De manera especial les servirán la "Vivencia de la Misión", el estudio del *Manual para el Equipo de Jóvenes Misioneros*, el *Cuaderno de la Misión* y la "Jornada de Capacitación".

Sin embargo, nada de esto suple la preparación detallada y cuidadosa de cada sesión, según está indicado en la "Introducción metodológica al Cuaderno", en el *Cuaderno de la Misión*. También habrán de revisar, en el *Manual para el Equipo de Jóvenes Misioneros,* los "Decálogos", pp. 60-62, y las "Pautas", 67-72, para su liderazgo como jóvenes misioneros, ya que desglosan las actitudes, conductas y acciones propias de líderes cristianos portadores de la Palabra de Dios a sus compañeros.

> **Ver *Cuaderno de la Misión*:**
> - ➡ "Introducción metodológica al Cuaderno".
> - ➡ Cada sesión bíblica, con su "Plan de la sesión", "Materiales necesarios", y "Proceso", incluyendo todos sus pasos y actividades.
>
> **Ver *Manual para el EdeJM*:**
> - ➡ "Decálogos del evangelizador/a, anfitrión/a y asesor/a", pp. 60-62.
> - ➡ "Pautas para el liderazgo de los jóvenes misioneros", pp. 67-72.

Conducción de las sesiones

La conducción de las sesiones por los Equipos de Jóvenes Misioneros culmina la labor del Equipo Central en cuanto a la organización, capacitación y asesoría de los jóvenes como protagonistas de la Misión. Es la etapa hacia la cual están dirigidas todas las actividades formativas y a la que habrá que dar especial atención pastoral como adultos que llevan un liderazgo compartido con los jóvenes. Hay que recordar que si el rol del asesor/a es importante en la preparación de las sesiones, es vital durante la conducción de las mismas.

Evaluación de las sesiones en cada sede de la Misión

Los formatos para evaluar las sesiones bíblicas por los jóvenes misioneros están diseñados de manera didáctica. La evaluación de la Sesión 1 es más sencilla y las que siguen ayudan a incrementar el sentido crítico y a centrarse en detalles diferentes. Las instrucciones para hacerlas y sus formatos están en la Parte 2 del *Cuaderno de la Misión*. Sus plantillas en Word para facilitar su uso, están en el sitio web. El proceso evaluativo tiene tres pasos:

- **Evaluación personal,** inmediatamente después de la sesión, para que sea lo más objetiva posible.

- **Evaluación comunitaria,** al compartir las evaluaciones personales con el fin de complementar la propia visión y aprender de los compañeros.

- **Síntesis de las evaluaciones,** para tener una visión general y entregarla al Equipo Central.

> **Ver *Cuaderno de la Misión*:**
> → Parte 2: "Evaluación de las sesiones por el Equipo de Jóvenes Misioneros y sus asesores/as".

3.8 LITURGIAS DE ENVÍO Y DE CLAUSURA DE LA MISIÓN

Las Liturgias de Envío y de Clausura le dan una mística especial a la Misión, ya que la liturgia es la celebración de la comunidad cristiana en que se actualiza, expresa o renueva la acción de Cristo; es el medio para dar culto a Dios como comunidad eclesial. Enmarcar la Misión en acciones litúrgicas da a los jóvenes misioneros un sentido amplio de comunión con Dios y con la Iglesia.

Como la Eucaristía es la liturgia por excelencia —la fuente y la cumbre de la vida de la Iglesia y de su misión evangelizadora— siempre que sea posible conviene celebrar el inicio y la clausura de la Misión durante una Eucaristía, de preferencia una Eucaristía dominical, con la presencia de la comunidad. Cuando esto no es posible, se pueden celebrar liturgias de la Palabra.

El valor de la liturgia de la Palabra radica en la proclamación de la Sagrada Escritura, como acontecimiento salvador, siempre en relación con la historia y los hechos humanos. De ahí la importancia de que los jóvenes comprendan la diferencia entre una liturgia eucarística y una liturgia de la Palabra y valoren cada una según su naturaleza.

Al enmarcar la Misión entre dos liturgias se realza la comunión y la misión de los equipos de jóvenes y adultos que están haciendo posible que la Palabra de Dios se haga joven con los jóvenes. Además, ambas liturgias son parte del proceso de formación en la acción de los jóvenes, pues les dan oportunidad de participar activamente en su preparación y de que algunos sirvan en distintos ministerios. De ahí que las guías para celebrarlas estén en el *Manual para el Equipo de Jóvenes Misioneros,* pp. 73-80; se dan primero guías que aplican a ambas liturgias y después lo correspondiente a cada una.

> **Ver *Manual para el EdeJM:***
> ➡ "Guías para las Liturgias de Envío y de Clausura", pp. 73-80.

Liturgia de Envío

La Liturgia de Envío marca el inicio de la acción evangelizadora de los jóvenes misioneros. De ella salen nutridos para hacer presente a Jesús entre sus compañeros, llevándoles en nombre de él, la Palabra de Dios, siempre dadora de vida.

Como se privilegia la Eucaristía como Liturgia de Inicio y de Clausura de la Misión, las pautas que se dan en el *Manual para el Equipo de Jóvenes Misioneros,* fueron escritas para la Misa. En caso de que el envío y/o la clausura se lleven a cabo en una liturgia de la Palabra, se deben adaptar.

La Eucaristía es la fuente de toda acción pastoral y misionera de la Iglesia. En ella Jesús se hace presente en los miembros de la comunidad eclesial, con la mayor intimidad posible. Todos los que participamos de la Eucaristía somos enviados por Jesús a continuar la misión; hemos celebrado el Misterio Pascual de Jesús, quien en su resurrección se presentó a sus apóstoles y les dijo: "Como el Padre me ha enviado, yo también los envío a ustedes" (Jn 20, 21).

Lo que el mundo necesita y lo que anhelan muchos jóvenes —en ocasiones consciente y otras veces inconscientemente— es el amor de Dios. No hay nada más grande que conocer a Jesús, dejarse amar por él, corresponderle y comunicar ese amor a los demás. Nos convertimos en testigos cuando, por nuestras acciones, palabras y modo de ser, Jesús aparece y se comunica; es decir, nos convertimos en instrumento de la presencia activa de Jesús, en este caso a través del protagonismo misionero de los jóvenes.

Liturgia de Clausura

La Liturgia de Clausura da por terminada la Misión, en la que los jóvenes crecieron en su fe, afirmaron su vocación cristiana y salieron motivados a cumplir su misión en el mundo. Es momento propicio para dar gracias a Dios por su invitación a escuchar su Palabra y haber tenido una experiencia de comunidad con compañeros que hacen presente a Jesús con palabras y obras.

Es tiempo para entrar en una comunión vivificante y dinámica con Jesús, que vuelve a enviar a evangelizar. Al dar gracias en la Eucaristía por nuestro encuentro personal con Cristo —Palabra viva del Padre a través de la Sagrada Escritura— los cristianos aprendemos a ser promotores de comunión, paz y solidaridad en todas las circunstancias de la vida.

Jóvenes misioneros, jóvenes participantes y miembros del Equipo Central, están llamados a continuar su jornada de fe, haciendo vida el mensaje de la Palabra de Dios recibido en la Misión. Como miembros de la iglesia peregrina en la tierra, corresponde a todos hacer presente a Jesús y sus palabras de vida eterna, diariamente y en el medio ambiente en que viven.

Guías para la evaluación oral de las liturgias

Para que la evaluación de las liturgias sea ágil, se recomienda hacerlas oralmente. Conviene que tanto el Equipo Central como por los jóvenes misioneros, las evalúen y cotejen sus opiniones, para ver si su experiencia fue similar o dispar. También se puede invitar al sacerdote que presidió la Eucaristía, para que aporte desde su propia perspectiva. En el Apéndice 4, pp. 112-113, se encuentran las guías para la evaluación de ambas liturgias; las plantillas en Word están en el sitio web.

3.9 REFLEXIÓN FINAL SOBRE LA ACCIÓN PASTORAL A LO LARGO DE LA MISIÓN

Para concluir el proyecto de la Misión, se ofrece una sesión en la que el Equipo Central y los Equipos de Jóvenes Misioneros en un centro organizador, se reúnen para hacer una reflexión final sobre su acción pastoral conjunta. Esta reflexión redondea la experiencia de las personas que hicieron posible la Misión, alimenta su espiritualidad, incrementa la conciencia sobre el alcance de su acción pastoral y les ayuda a mejorar su práctica pastoral futura.

El proceso para hacer la reflexión se encuentra en el Apéndice 3, pp. 94-97. Tiene una duración de seis horas y consta de cinco momentos: oración inicial; reflexión sobre la acción pastoral en equipos; puesta en común; oración final, y convivencia.

3.10 REPORTE AL INSTITUTO FE Y VIDA Y ANÁLISIS DEL PROYECTO DE LA MISIÓN POR FE Y VIDA

El Instituto Fe y Vida y las instituciones asociadas están muy interesados en conocer los resultados de la Misión Bíblica Juvenil. Con este fin, se ha diseñado un formulario para enviar los datos de la Misión, así como comentarios relevantes que puedan servir para confirmar los aportes útiles para la implementación de la Misión y mejorar aspectos que así lo requieran.

Además, estos reportes son clave para que el Instituto Fe y Vida presente un informe completo a las fundaciones y donadores que hicieron posible que los recursos para la Misión se ofrezcan gratuitamente y queden motivados para apoyar las siguientes Misiones. Por ello, se solicita atentamente al líder organizador que se responsabilice de enviar o asegurar que se envíe este reporte.

El formulario está en el Apéndice 4, pp. 114-116. Recoge las observaciones hechas en las evaluaciones realizadas a lo largo del proceso y otros comentarios que se deseen compartir. Al igual que las evaluaciones, el formato está en Word, en el sitio web, para facilitar que lo llenen y lo envíen a: reporte@MisionBiblicaJuvenil.org.

El Instituto Fe y Vida hará una síntesis de los reportes recibidos, la analizará y preparará un informe. Este informe será compartido electrónicamente con los líderes organizadores que hayan enviado su reporte final, con el fin de enriquecer a los Equipos Centrales en su labor de liderazgo y formación en la pastoral juvenil.

EPÍLOGO

Y DESPUÉS DE LA MISIÓN..., ¿QUÉ?

> Hay diversidad de carismas, pero el Espíritu es el mismo. Hay diversidad de servicios, pero el Señor es el mismo. Hay diversidad de actividades, pero uno mismo es el Dios que activa todas las cosas en todos.
>
> —1 Corintios 12, 4-6

La Misión Bíblica Juvenil provocará profundos encuentros personales con Jesús entre los jóvenes. Para algunos, será una oportunidad de reflexionar y orar sobre su fe en el momento y circunstancias actuales de su vida. Para otros, será la primera vez que escuchan el anuncio de la Buena Nueva con un proceso que lleva a su interiorización y al diálogo entre compañeros. Otros, encontrarán en la Misión una ocasión de fortalecer su fe, renovar sus promesas bautismales y descubrir su vocación misionera.

Muchos serán los frutos y los dones que se derramen de la Misión y habrá que seguir cultivándolos para que la Palabra de Dios siga penetrando la vida de la juventud actual. La Iglesia ofrece diferentes medios para que los jóvenes continúen su crecimiento en la fe y encuentren una tierra fértil para llevar a la acción lo que vivieron, escucharon y aprendieron en la Misión.

Es importante dar a conocer a los jóvenes participantes las posibilidades a su alcance, según su edad, intereses, realidad y carismas. Corresponde al Equipo Central hacer una lista de las oportunidades existentes en su área y darlas a conocer a los jóvenes misioneros. Ellos, a su vez, las compartirán con sus compañeros en la última sesión bíblica, invitando a quienes no participan en algún esfuerzo pastoral a integrarse a un grupo o comunidad de fe ya existente o a continuar reuniéndose y formar con sus compañeros un nuevo grupo o comunidad eclesial.

El Instituto Fe y Vida ofrece varios aportes a la pastoral bíblica juvenil, de modo que los jóvenes encuentren en la Palabra de Dios una fuente constante de vida nueva. También ofrece recursos para capacitar a los jóvenes en la Sagrada Escritura. Para conocer los programas y recursos disponibles en Estados Unidos y América Latina, se invita a visitar www.BibliaParaJovenes.org. Para recursos en inglés centrados en adolescentes y jóvenes universitarios, se puede visitar www.smp.org, y para formación bíblica, www.verbodivino.es.

APÉNDICE 1

GUÍA PARA USAR
LOS RECURSOS DE LA MISIÓN

Este documento presenta las publicaciones y recursos que se ofrecen para facilitar la implementación de la Misión Bíblica, "La Palabra se hace joven con los jóvenes". Está dividido en ocho secciones e incluye una breve presentación de cómo utilizar cada uno de los recursos:

- Recursos para conocer y promover la Misión
- Recursos para planificar la Misión
- Publicaciones de la Misión
- Recursos para capacitar a los jóvenes misioneros
- Recursos audiovisuales
- Galería de imágenes
- Evaluaciones y reporte
- Sitios web de la Misión

 RECURSOS PARA CONOCER Y PROMOVER LA MISIÓN

1. Volantes sobre la Misión

Existen dos volantes que sirven de carta de presentación para la Misión. En la parte superior de la carátula de ambos volantes, hay un espacio en blanco para poner el nombre de la institución que hace la invitación.

- **Volante sencillo:** Tamaño carta; presenta los elementos clave de la Misión.
- **Volante completo:** Tamaño doble carta; además de los elementos clave para la Misión, presenta un cronograma del proceso para implementarla.

2. Pósters o carteles

Se han diseñado dos tipos de posters, carteles o afiches para colocarlos en lugares estratégicos en las parroquias, colegios, centros religiosos y otros lugares apropiados.

- **Póster inspirador:** Se ofrece en tres tamaños para facilitar su uso en distintas circunstancias: grande, doble carta y carta.

- **Cartel informativo:** Está diseñado para colocar en él la información específica sobre el lugar, fecha y hora en que se llevará a cabo la Misión. Se ofrece en los mismos tres tamaños que el póster inspirador.

3. Presentación en PowerPoint

La presentación en PowerPoint tiene como fin explicar la Primera Misión Bíblica Juvenil, "La Palabra se hace joven con los jóvenes", a grupos de líderes jóvenes o adultos. Antes de hacer la presentación conviene estudiar el documento "Preguntas y respuestas sobre la Misión" y familiarizarse con la totalidad del proceso.

Al hacer la presentación, hay que explicar el proyecto de tal modo que la audiencia comprenda que la implementación de la Misión se hace a nivel local. Lo que ofrece el Instituto Fe y Vida es el diseño total del proyecto; todos los recursos necesarios para llevarlo a cabo, y apoyo virtual a los líderes organizadores.

4. Vídeo promocional de la Misión Bíblica Juvenil

El vídeo promocional de la Misión da a conocerla de manera ágil, a través de la Internet. Está diseñado para insertarlo en sitios web y distribuirlo a través de YouTube y otros medios semejantes.

5. Documento: Preguntas y respuestas sobre la Misión

El propósito de este documento es proporcionar información detallada sobre el proyecto de la Misión, de modo que pueda ser comprendido en su totalidad. Está dirigido a personas con capacidad de promoverla y organizarla. Es un complemento al volante completo y a la presentación en PowerPoint. Se recomienda crear un documento adicional de preguntas y respuestas sobre la organización local de la Misión.

6. Cartas de apoyo de los obispos

Dos obispos en puestos clave para animar a los jóvenes a participar en la Misión escribieron cartas de presentación de ésta. Los dos obispos son:

- Monseñor Mariano José Parra Sandoval, Obispo de Ciudad Guayana, Venezuela; Presidente de la Sección Juventud, del Consejo Episcopal Latinoamericano (CELAM).
- Monseñor José H. Gómez, STD, Arzobispo de San Antonio, Texas; Presidente del Secretariado de Diversidad Cultural en la Iglesia, de la Conferencia de Obispos Católicos en Estados Unidos (USCCB por sus siglas en inglés).

7. Separador de libros con la "Oración por la Misión"

La "Oración por la Misión 'La Palabra se hace joven con los jóvenes'", está escrita en un separador de libros. Su objetivo es crear un grupo amplio de personas que oren para que la Misión dé frutos entre los jóvenes. El separador se distribuye formalmente en la Convocatoria a los candidatos a ser jóvenes misioneros y en la Liturgia de Envío de la

Misión. Además, conviene obsequiarlo a los miembros de las instituciones que están implementando la Misión: a los estudiantes y maestros en los colegios; en las misas de las parroquias e iglesias; a los miembros de congregaciones y movimientos apostólicos… para que esta Oración se rece al final de las misas y que la comunidad se mantenga en oración a lo largo de este esfuerzo misionero de la juventud.

 RECURSOS PARA PLANIFICAR LA MISIÓN

1. Documento: Escenarios de los centros organizadores y su potencial misionero

Este documento presenta seis escenarios de cómo se puede organizar la Misión, aprovechando al máximo el potencial de liderazgo juvenil católico al que tienen acceso los diversos ámbitos eclesiales que trabajan con jóvenes. Confiamos que estos seis escenarios despierten ánimo, esperanza, creatividad y capacidad organizativa, y que alcancen su potencial conforme se multipliquen estas misiones. Al final del documento se ofrecen ejemplos de cómo calendarizar las Misiones a lo largo de una semana y de cómo distribuir las sedes en un territorio determinado.

2. Ejemplo de calendario para planificar la Misión

El objetivo del calendario es ofrecer una visión de los pasos necesarios para preparar e implementar la Misión. El tiempo real de preparación de la Misión dependerá de las circunstancias de cada localidad o centro organizador.

3. Plantilla para planificar la Misión

Esta plantilla es una versión del calendario anterior, en Excel. Se ofrece en el sitio web con el fin de ser utilizada para planificar la Misión a nivel local.

 BIBLIA Y PUBLICACIONES DE LA MISIÓN

La Biblia Católica para Jóvenes — Edición especial de la Misión

La Primera Misión Bíblica Juvenil cuenta con una edición especial de *La Biblia Católica para Jóvenes (BCJ)*. Se caracteriza por tener en la cubierta la Cruz de la Misión y una introducción dedicada a la Misión, en la que se presenta su simbología.

El contenido de esta edición especial es el mismo que el de la *BCJ* regular. Sería magnífico que todos los jóvenes que participen en la Misión tengan esta Biblia debido a la riqueza de sus aportes. Si esto no fuera posible, el *Cuaderno* y el *Diario de la Misión* tienen transcritas las citas bíblicas, para asegurar que todos tienen el mismo texto y que éste está en un lenguaje compresible para la juventud.

Se recomienda que la *BCJ* de la Misión se entrone en cada sede de la Misión, para que los evangelizadores lean directamente de ella. También es recomendable que jóvenes misioneros tengan la *BCJ*, para que puedan comprender y saborear más la Palabra de Dios.

Cuatro publicaciones de la Misión

Las cuatro publicaciones de la Misión se complementan entre sí. La localización del contenido en una u otra se hizo siguiendo el principio de subsidiaridad; es decir, el *Manual para el Equipo Central* no duplica la información contenida en el *Manual para el Equipo de Jóvenes Misioneros* ni éste repite información presentada en el *Cuaderno de la Misión*. Lo que existe son referencias para poder utilizar las otras publicaciones de manera armónica.

Los dos *Manuales* se mantendrán vigentes para todas las Misiones preparadas por el Instituto Fe y Vida. Periódicamente se producirán nuevos *Cuadernos* con su respectivo *Diario*, centrados en temáticas bíblicas diferentes.

1. Manual para el Equipo Central

Este *Manual* contiene los elementos necesarios para planificar e implementar la Misión. Presenta lo requerido por el Equipo Central para la capacitación, apoyo y protagonismo pastoral de los jóvenes misioneros. Incluye varios apéndices prácticos para facilitar el trabajo organizativo y la capacitación de los jóvenes misioneros.

2. Manual para el Equipo de Jóvenes Misioneros

Este *Manual* contiene los fundamentos teológico-pastorales de la Misión. Proporciona los elementos espirituales, metodológicos y sicológicos necesarios para ser jóvenes misioneros. Ofrece aportes para su capacitación y la preparación de las sesiones bíblicas, así como pautas de cómo ejercer su liderazgo al facilitarlas. Presenta guías para las Liturgias de Envío y de Clausura, indicando los momentos en que los jóvenes pueden ejercer un ministerio en ellas.

3. Cuaderno de la Misión

El *Cuaderno* contiene el proceso general, las actividades por facilitar y el contenido a tratar en las cuatro sesiones bíblicas que constituyen la Misión. Presenta los objetivos, el plan detallado y los materiales necesarios para cada sesión. Ofrece instrucciones específicas sobre las tareas a realizar por los miembros del Equipo de Jóvenes Misioneros. Incluye indicaciones de cómo presentar los contenidos, señala el uso del *Diario de la Misión* y proporciona los formatos de evaluación para cada sesión.

4. Diario de la Misión

El *Diario* contiene las oraciones y actividades para la reflexión de los jóvenes participantes. Incluye los textos bíblicos sobre los que se reflexiona en cada sesión, con el fin de que todos tengan el mismo texto y evitar confusiones al tener versiones distintas de la Biblia. Ofrece la oportunidad de escribir o ilustrar el diálogo que tienen los participantes con Jesús, a lo largo de la Misión.

RECURSOS PARA CAPACITAR A LOS JÓVENES MISIONEROS

1. Formulario de inscripción

Este formulario recaba los datos de quienes se comprometen a ser miembros de un Equipo de Jóvenes Misioneros. Se utiliza en la Convocatoria en la que se presenta el proyecto de la Misión, los requisitos de capacitación y la necesidad de su labor como protagonistas de la acción pastoral.

2. Tarjeta de compromiso

Esta tarjeta se utiliza para ser firmada por los jóvenes misioneros en un rito de compromiso al final de la Convocatoria. Al firmarla se comprometen a capacitarse, preparar las sesiones, facilitarlas y evaluarlas.

3. Vídeo de capacitación

Como su nombre lo indica, este vídeo fue creado para ser utilizado en la capacitación de los miembros de los Equipos Centrales y de Jóvenes Misioneros. Tiene como fin poner a su alcance una presentación hecha por el equipo del Instituto Fe y Vida. Se presenta sólo en español.

Ofrece un panorama general de la Misión, presenta aspectos relevantes de sus fundamentos teológico-pastorales y especifica elementos clave de la metodología utilizada en este proyecto. Contiene los elementos principales a ser considerados en las etapas de planificación, capacitación e implementación.

Si se desea utilizar este vídeo para dar a conocer el proyecto, es necesario hacer una introducción previa. Hay que advertir que la Misión está diseñada para ser implementada a nivel local y que sus coordinadores hacen ese servicio a través de un centro organizador.

 # RECURSOS AUDIOVISUALES

1. Canción lema de la Misión, "Jesús te llama", por Martín Valverde

La canción lema es de índole bíblico-catequético, sobre la temática específica de la Misión. Se presenta en los siguientes formatos:

- **Vídeo de la canción lema.** Es la versión más completa.

- **Grabación de la canción.** Es la versión completa sin acompañamiento visual.

- **Instrumental o pista.** Es una versión sólo de la música y tiene como fin acompañar a los jóvenes en sus ensayos o para cantarla.

- **Acordes para guitarra y letra de la canción.** Para tocarla y cantarla.

2. Cancionero de la Misión

Se ofrecen canciones de temas misioneros o relacionados con el contenido bíblico de las sesiones, donadas por diversos autores. Con ellas se ha compilado un pequeño cancionero para la Misión, el cual se podrá utilizar en la Convocatoria, el proceso de discernimiento sobre los roles de los jóvenes misioneros, la Jornada de Capacitación y las Liturgias de Envío y de Clausura. Para las sesiones bíblicas, se recomienda complementar el cancionero con cantos relacionados con cada tema, conocidos por los jóvenes a nivel local.

 # GALERÍA DE IMÁGENES

Todos los diseños y elementos visuales usados en la Misión están colocados en el sitio web. Algunos están destinados a una sesión bíblica en particular; otros pueden ser utilizados para promover la Misión, sea a través de la Internet o de forma impresa. De esta manera se mantendrá la identidad y la mística de la Misión a lo largo del

Continente Americano y se facilitará la creatividad de los equipos misioneros, sin que pierda integridad el proyecto. Estos recursos son de diferentes tipos:

- Elementos informativos para dar a conocer la Misión a través de medios locales de difusión, como periódicos, revistas, presentaciones en PPT o comunicaciones a través de la Web.

- Logos y elementos simbólicos para dar toques de identidad y mística de la Misión al hacer comunicaciones locales sobre ella.

- Elementos promocionales para animar a los jóvenes a participar en la Misión.

- Ilustraciones que caracterizan cada sesión bíblica y las que se requieren para actividades específicas.

 # EVALUACIONES Y REPORTE

1. Evaluación de cada sesión bíblica

Las evaluaciones de las sesiones bíblicas están al final del *Cuaderno de la Misión*. El Equipo Central las hace al terminar la Vivencia de la Misión por los jóvenes misioneros y estos las realizan después de cada sesión bíblica ofrecida a los jóvenes participantes. Al terminar las cuatro sesiones habrá que sintetizar las evaluaciones de cada sede y entregarlas al Equipo Central, para que adquiera una visión de conjunto sobre la implementación de la Misión bajo su liderazgo.

2. Evaluación de la Convocatoria

El propósito de la evaluación es ayudar al Equipo Central a hacer un mejor trabajo de preparación y facilitación. También es importante comunicar en el reporte final al Instituto Fe y Vida, los aspectos que requieren ser mejorados en Misiones subsecuentes.

3. Evaluación de la Vivencia de la Misión

Esta evaluación es para ser hecha por el Equipo Central. Le sirve para reflexionar sobre su propio funcionamiento como equipo; identificar si las sesiones bíblicas requieren ser adaptadas para la juventud local; facilitar una apreciación de los jóvenes misioneros con el fin de ayudarlos a ejercer su labor. Incluye la identificación de aspectos relevantes a comunicar al Instituto Fe y Vida.

4. Evaluación del proceso de discernimiento para la elección de roles

Esta evaluación tiene una sección sobre el Equipo Central y otra sobre los jóvenes misioneros. También se pide reportar al Instituto Fe y Vida aspectos a ser mejorados.

MBJ

5. Evaluación de la Jornada de Capacitación

Los fines de esta evaluación son semejantes a los de las dos evaluaciones anteriores.

6. Guías para la evaluación oral de las Liturgias de Envío y de Clausura

Esta guía tiene dos componentes, uno para ser utilizado por el Equipo Central y otro, por los jóvenes misioneros, ya que la visión de ambos equipos tiende a ser complementaria. Si ambas evaluaciones son realizadas en días y/o lugares diferentes, los jóvenes misioneros deben entregar su evaluación al Equipo Central. La evaluación abarca tanto la preparación de las liturgias como su celebración.

7. Reporte final de los centros organizadores al Instituto Fe y Vida

Este formulario tiene como fin compilar información sobre la implementación de la Misión y aspectos relevantes en sus evaluaciones, para ser enviada al Instituto Fe y Vida por cada centro organizador. Es muy importante que el Instituto reciba este reporte para mejorar su labor en Misiones subsecuentes y generar los informes que presentará a las fundaciones y donadores que permitieron ofrecer gratuitamente todos los recursos.

 ## SITIOS WEB DE LA MISIÓN

Con la intención de que la Misión Bíblica Juvenil, "La Palabra se hace joven con los jóvenes", llegue a todos los rincones del Continente Americano, existen sitios web: www.MisionBiblicaJuvenil.org, en español y www.smp.org/YBM, en inglés. En cada sitio se encuentran todos los materiales y recursos digitalizados para ser descargados de manera gratuita.

Estos dos sitios web serán el medio de comunicación entre el líder organizador/a en los centros de la Misión y el coordinador/a del proyecto en el Instituto Fe y Vida. El apoyo a través de la Internet será factible sólo en los periodos en que exista personal dedicado a este proyecto.

Será a través de estos sitios que los líderes organizadores envíen al Instituto Fe y Vida su reporte final. Existe una base de datos integrada al sitio web de la Misión que facilita la compilación de los datos de todos los reportes. Las personas que envíen su evaluación recibirán posteriormente el reporte general sobre la Misión en el Continente Americano.

APÉNDICE 2

ESCENARIOS DE CENTROS ORGANIZADORES Y SU POTENCIAL MISIONERO

1. SEIS ESCENARIOS DE CENTROS ORGANIZADORES

Este documento presenta seis escenarios de centros organizadores y las sedes que podrán coordinar, según el número de Equipos de Jóvenes Misioneros comprometidos. También indica el número potencial de jóvenes participantes en dichos centros. Al final se presenta un ejemplo de calendarización de las sedes a lo largo de la semana y un ejemplo de cómo distribuirlas en un territorio determinado.

Escenario 1. La parroquia

Parroquia San Judas Tadeo
Organizadores: párroco y encargado de pastoral juvenil

- Congregación religiosa
  6 jóvenes misioneros

- Movimiento apostólico
  - Juveniles
    4 jóvenes misioneros
  - Universitarios
    4 jóvenes misioneros
  - Jóvenes profesionistas
    4 jóvenes misioneros

- Grupo juvenil de oración
  8 jóvenes misioneros

- Coro juvenil misa 6 p.m.
  6 jóvenes misioneros

- Grupo juvenil de acción social
  4 jóvenes misioneros

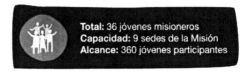

Total: 36 jóvenes misioneros
Capacidad: 9 sedes de la Misión
Alcance: 360 jóvenes participantes

MBJ

Escenario 2. El colegio católico

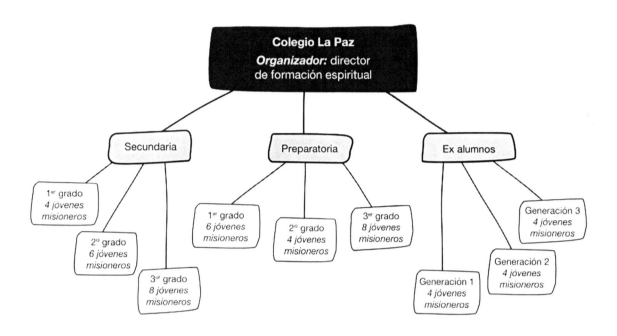

Colegio La Paz
Organizador: director
de formación espiritual

Secundaria

Preparatoria

Ex alumnos

1er grado
*4 jóvenes
misioneros*

2º grado
*6 jóvenes
misioneros*

3er grado
*8 jóvenes
misioneros*

1er grado
*6 jóvenes
misioneros*

2º grado
*4 jóvenes
misioneros*

3er grado
*8 jóvenes
misioneros*

Generación 1
*4 jóvenes
misioneros*

Generación 2
*4 jóvenes
misioneros*

Generación 3
*4 jóvenes
misioneros*

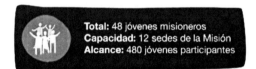

Total: 48 jóvenes misioneros
Capacidad: 12 sedes de la Misión
Alcance: 480 jóvenes participantes

Escenario 3. La arqui/diócesis

Región o Vicariato 1
con 40 parroquias
*400 jóvenes
misioneros*

3 Universidades católicas
*64 jóvenes
misioneros*

Región o Vicariato 2
con 28 parroquias
*280 jóvenes
misioneros*

**Arquidiócesis
San Pedro y San Pablo**

Organizador: oficina de pastoral
juvenil en colaboración con la oficina
de educación y oficina del clero

2 Movimientos apostólicos
de padres de familia
*60 jóvenes
misioneros*

Región o Vicariato 3
con 22 parroquias
*220 jóvenes
misioneros*

4 Congregaciones religiosas
con apostolados propios
*360 jóvenes
misioneros*

18 Colegios católicos de
secundaria y preparatoria
*648 jóvenes
misioneros*

6 Movimientos
apostólicos juveniles
*216 jóvenes
misioneros*

Total: 2248 jóvenes misioneros
Capacidad: 562 sedes de la Misión
Alcance: 22,500 jóvenes participantes

MBJ

Escenario 4. El movimiento apostólico

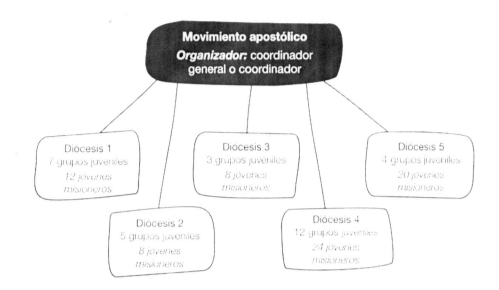

Movimiento apostólico
Organizador: coordinador
general o coordinador

Diócesis 1
7 grupos juveniles
12 jóvenes
misioneros

Diócesis 3
3 grupos juveniles
8 jóvenes
misioneros

Diócesis 5
4 grupos juveniles
20 jóvenes
misioneros

Diócesis 2
5 grupos juveniles
8 jóvenes
misioneros

Diócesis 4
12 grupos juveniles
24 jóvenes
misioneros

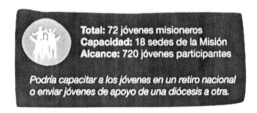

Total: 72 jóvenes misioneros
Capacidad: 18 sedes de la Misión
Alcance: 720 jóvenes participantes

*Podría capacitar a los jóvenes en un retiro nacional
o enviar jóvenes de apoyo de una diócesis a otra.*

Escenario 5. La congregación religiosa

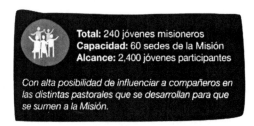

Total: 240 jóvenes misioneros
Capacidad: 60 sedes de la Misión
Alcance: 2,400 jóvenes participantes

Con alta posibilidad de influenciar a compañeros en las distintas pastorales que se desarrollan para que se sumen a la Misión.

Escenario 6. La pequeña comunidad eclesial

Pequeña comunidad eclesial
Organizador: uno o dos
miembros de la comunidad

6 miembros jóvenes
de la comunidad

6 jóvenes misioneros
recomendados por otra
pequeña comunidad

6 hijos y nietos de los adultos
de la comunidad

4 amigos de los hijos y nietos

6 primos que viven cerca

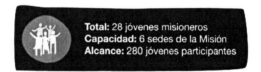

Total: 28 jóvenes misioneros
Capacidad: 6 sedes de la Misión
Alcance: 280 jóvenes participantes

2. EJEMPLO DE CALENDARIO PARA PLANIFICAR LA MISIÓN

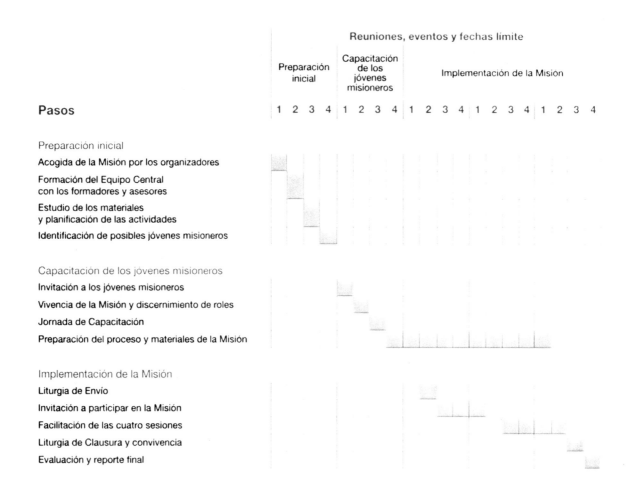

Pasos	Preparación inicial				Capacitación de los jóvenes misioneros				Implementación de la Misión												
	1	2	3	4	1	2	3	4	1	2	3	4	1	2	3	4	1	2	3	4

Preparación inicial
- Acogida de la Misión por los organizadores
- Formación del Equipo Central con los formadores y asesores
- Estudio de los materiales y planificación de las actividades
- Identificación de posibles jóvenes misioneros

Capacitación de los jóvenes misioneros
- Invitación a los jóvenes misioneros
- Vivencia de la Misión y discernimiento de roles
- Jornada de Capacitación
- Preparación del proceso y materiales de la Misión

Implementación de la Misión
- Liturgia de Envío
- Invitación a participar en la Misión
- Facilitación de las cuatro sesiones
- Liturgia de Clausura y convivencia
- Evaluación y reporte final

En el sitio web se encuentra una plantilla en Excel para escribir las fechas correspondientes a la planificación local. Es importante dar a conocer a los jóvenes misioneros el calendario local, así como la distribución territorial de las sedes de la Misión. De esta manera, adquirirán una visión global del proceso y la implementación de la Misión que les ayudará ver la importancia de su rol en ella; podrán referir a otros jóvenes a una u otra sede, y se motivará para que en las siguientes Misiones haya más sedes en su centro organizador.

MBJ

3. EJEMPLO DE CALENDARIZACIÓN DE LAS SEDES DE LA MISIÓN

	LU	MA	MIE	JUE	VIE	SA	DOM	SA	DOM
En la parroquia	2	1	3	1	2	-	1	2	-
En los colegios	2	2		2		-	6	3	-
En casas de familia	4	6	2	3	1	-	-	6	4
En conventos, casas de retiro y otros locales	8	1	1	2	-	2	2	2	1
Total posible	16	10	6	8	3	2	9	13	5

Número total de sedes	72

4. EJEMPLO DE DISTRIBUCIÓN TERRITORIAL DE LAS SEDES DE LA MISIÓN

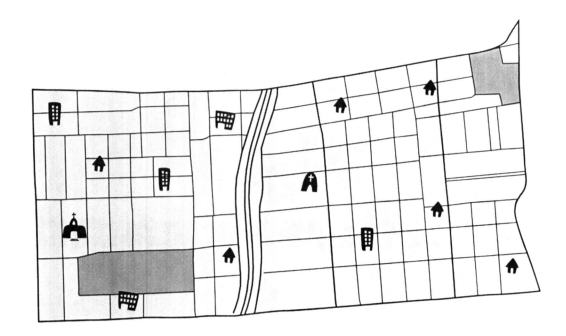

Simbología

Parroquia

Capilla

Casa

Edificios

Escuela

APÉNDICE 3
PROCESOS E INSTRUMENTOS PARA LAS ACTIVIDADES FORMATIVAS

1. EJEMPLO DE UNA CARTA DE AUTORIZACIÓN POR LOS PADRES O TUTORES DE MENORES DE EDAD

Este apéndice contiene procesos e instrumentos específicos, necesarios en diferentes momentos o actividades formativas de los jóvenes misioneros. Incluye:

- Ejemplo de una carta de autorización por los padres o tutores de menores de edad invitados a servir como jóvenes misioneros, con su talón de respuesta para ser firmado por ellos

- Proceso de la Convocatoria de los candidatos a ser jóvenes misioneros

- Tarjeta de compromiso para ser firmada por los jóvenes misioneros al aceptar ser miembros de un equipo para esta Misión

- Formulario de inscripción al Equipo de Jóvenes Misioneros, para recabar toda la información necesaria sobre ellos

- Proceso de discernimiento para elegir un rol, el cual incluye un pequeño ritual de compromiso solemne para servir como joven misionero

- Proceso para la Jornada de Capacitación

- Proceso para la reflexión final sobre la acción pastoral a lo largo de la Misión

"LA PALABRA SE HACE JOVEN CON LOS JÓVENES"
Misión Bíblica Juvenil en el Continente Americano

PETICIÓN DE AUTORIZACIÓN
A LOS PADRES O TUTORES

(Fecha)

Estimados padres de familia o tutores:

Les escribo como miembro del Equipo Central de la Misión Bíblica, "La Palabra se hace joven con los jóvenes", en representación de *(nombre del Centro)*, para solicitar la autorización de que su hijo/a *(nombre)* participe como miembro de un Equipo de Jóvenes Misioneros. Se contará con asesores adultos en todas las actividades de la Misión en que participen menores de edad.

Su hijo/a tendrá que participar en las siguientes actividades:

- **Convocatoria para candidatos a ser jóvenes misioneros,** que tendrá lugar en *(lugar, fecha y hora)*
- **Vivencia de la Misión,** que tendrá lugar en *(lugar, fecha y hora)*
- **Jornada de Capacitación,** que tendrá lugar en *(lugar, fecha y hora)*
- **Varias reuniones para preparar las sesiones bíblicas a ser facilitadas por los jóvenes misioneros,** el lugar y la fecha se anunciarán posteriormente.
- **Liturgias de Envío y de Clausura,** que tendrán lugar en *(lugar, fecha y hora)* y *(lugar, fecha y hora)*. Están cordialmente invitados a acompañar a su hijo/a en estas liturgias.
- **Cuatro sesiones bíblicas,** el lugar y la fecha se anunciarán posteriormente.
- **Sesión de evaluación final,** el lugar y la fecha se anunciarán posteriormente.

Por favor completen el "Formato de autorización de los padres o tutores" anexo y envíenlo con su hijo/a el día de la Convocatoria, que es la primera actividad de la Misión. En caso de que tengan cualquier pregunta o deseen más información, pueden llamarme al *(teléfono)* o enviar un **correo-e** *(dirección electrónica)*.

Con mis oraciones por ustedes y su hijo/a,

(Firma)

(Nombre)

FORMATO DE AUTORIZACIÓN
DE LOS PADRES O TUTORES

Yo, _____, autorizo a mi hijo/a _____ para que participe en todas las actividades requeridas para servir en un Equipo de Jóvenes Misioneros, en la Misión, "La Palabra se hace joven con los jóvenes", según la lista de actividades presentada en la carta pidiendo autorización a los padres o tutores.

Firma del padre/madre o tutor/a: _____

Domicilio: _____

Teléfono: _____

Fecha: _____

2. PROCESO PARA LA CONVOCATORIA DE LOS CANDIDATOS A SER JÓVENES MISIONEROS

Proceso   [2:30 horas]

1. **Bienvenida, dinámica de conocimiento y cantos de ambientación**

2. **Oración inicial**   20 minutos

   - Crear un ambiente de oración en presencia del Señor y pedir la iluminación del Espíritu Santo.

   - Invitar a escuchar la canción lema de la Misión, "Jesús te llama", y meditar sobre sus palabras. Mostrar su vídeo, si es posible.

   - Hacer una pequeña introducción basada en el "Prólogo" que está en el *Manual para el Equipo de Jóvenes Misioneros,* p. 9.

   > **Ver *Manual para el EdeJM:***
   > ➡ "Prólogo", p. 9.

3. **Explicación de la Misión**   50 minutos

   - Usar la presentación en PowerPoint como apoyo para explicar a los jóvenes el proyecto de la Misión:

     o Enfatizar la importancia de llevar la Palabra de Dios a otros jóvenes a través de la Misión.

     o Especificar cómo estarán integrados los equipos misioneros y explicar en qué radica la espiritualidad del evangelizador y del anfitrión, así como sus funciones en este proyecto.

     o Presentar la oportunidad que tendrán de vivir la Misión y de capacitarse para realizar sus roles.

     o Indicar los compromisos que adquieren al ser parte de un Equipo de Jóvenes Misioneros.

   > **Ver *Manual para el EdeJM:***
   > ➡ "Parte 1: Mística de la Misión",
   >   pp. 17-36.

   - Conducir una sesión de preguntas y respuestas.

4. Enviados a la Misión   20 minutos

- Crear un ambiente de reflexión y escucha.

- Proclamar Lucas 10, 1-3. 16.

- Dar unos minutos para que la Palabra de Dios haga eco en el corazón de los jóvenes.

- Leer las cartas de los obispos que animan a la Misión. Ver pp. 10-11 de este *Manual*.

- Abrir un diálogo en grupos de tres o cuatro participantes para compartir cómo se sienten ante la invitación que les hace Jesús para ser jóvenes misioneros y qué respuesta nace de su corazón.

5. Rito de compromiso y conclusión   15 minutos

- Invitar a orar por unos minutos para decidir, en diálogo con Jesús, su respuesta a la invitación a ser joven misionero/a en este proyecto.

- Quienes acepten la invitación, llenarán la "Tarjeta de compromiso", que deberá haber sido repartida a todos los participantes con anterioridad. Ver Apéndice 3, p. 85. El original a color, puede bajarse del sitio web.

- Entregar también a todos, el marcador del libro con la "Oración por la Misión: 'La Palabra se hace joven con los jóvenes'". Quienes por alguna razón no puedan servir como misioneros en esta ocasión, no firmarán la tarjeta; sin embargo, pueden realizar un compromiso con Jesús para ser parte del ministerio de la oración por el éxito de la Misión y para invitar a otros jóvenes a participar en ella.

- Realizar un rito de compromiso, en el que:
  - o Los jóvenes que servirán como misioneros, pasan al altar y colocan la "Tarjeta de compromiso" en una canasta que estará sobre él.
  - o Los jóvenes que no pueden servir como misioneros en esta ocasión, toman una vela que estará en una canasta al pie del altar y la colocan encendida sobre éste como símbolo de su compromiso de orar por el éxito de la Misión.

- Hacer todos juntos la "Oración por la Misión", en voz alta.

- Orar con las manos extendidas sobre la comunidad juvenil y bendecir a los jóvenes para que cumplan su compromiso con entusiasmo y dedicación.

- Llamar uno a uno a los jóvenes, para entregarles su "Tarjeta de compromiso". Al hacerlo, decirle: "[Nombre], que el Espíritu Santo te guíe en todo el proceso de la Misión". El/la joven responde: "Así sea".

- Concluir con la canción lema de la Misión, de ser posible mostrando su vídeo e invitar a que todos los jóvenes la canten. La letra se encuentra en el *Cancionero de la Misión*, en el sitio web.

6. Distribución y entrega de documentos   10 minutos

- Distribuir el "Formulario de inscripción", p. 86, y solicitar que quienes se comprometieron a ser jóvenes misioneros, lo llenen y lo entreguen. El original a color puede bajarse del sitio web.

- Entregar un volante con la información sobre la fecha, lugar y hora, para la Vivencia de la Misión y la Jornada de Capacitación.

- Pedir a los menores de edad que entreguen la carta-permiso de sus padres o tutores.

7. Refrigerio y convivencia   25 minutos

3. TARJETA DE COMPROMISO
COMO MIEMBRO DEL EQUIPO DE JÓVENES MISIONEROS

COMPROMISO
COMO MIEMBRO DEL EQUIPO
DE JÓVENES MISIONEROS

Yo,   ,

quiero ser instrumento del Señor,
para llevar la Palabra de Dios a otros jóvenes.
Me comprometo a vivir la Misión,
participar en la Jornada de Capacitación,
prepararme y ser misionero/a
durante la Misión Bíblica Juvenil.

Firma

Fecha   /   /   Ciudad

4. FORMULARIO DE INSCRIPCIÓN AL EQUIPO DE JÓVENES MISIONEROS

INSCRIPCIÓN AL EQUIPO DE JÓVENES MISIONEROS

MBJ

Nombre

Fecha de nacimiento

Domicilio

Ciudad   Estado   C.P.

Teléfono de trabajo   (   )

Teléfono de casa   (   )

Teléfono móvil   (   )

Correo electrónico

En caso de ser adolescente:

Nombre del padre/madre o tutor/a

Firma del padre/madre o tutor/a

Teléfono de casa   (   )

Teléfono móvil   (   )

Correo electrónico

En caso de emergencia comunicarse con:

Teléfono de casa   (   )

Teléfono móvil   (   )

MBJ

5. PROCESO DE DISCERNIMIENTO PARA ELEGIR UN ROL Y HACER UN COMPROMISO SOLEMNE COMO JOVEN MISIONERO

Proceso   [1:30 horas]

1. Preparación con anterioridad

Indicar a los jóvenes que lleven su *Diario*, pues lo utilizarán en el rito en que ratificarán solemnemente su compromiso como jóvenes misioneros.

2. Introducción   10 minutos

Recordar el llamado de Jesús a sus discípulos para continuar su misión y la espiritualidad propia del evangelizador y del anfitrión en esta Misión. Invitar a discernir —en ambiente de profunda oración y apertura al Espíritu Santo— el rol al que Dios los llama, teniendo presente su experiencia reciente de la Misión y la apreciación personal y comunitaria de los dones que Dios les ha dado.

Explicar la complementariedad e importancia de ambos roles, para que la Buena Nueva llegue al corazón y la vida de los participantes. Indicar que en las cuatro sesiones servirán en el rol con el que se comprometen en esta ocasión. Explicar los pasos que se seguirán en el proceso de discernimiento, el cual tiene una dimensión personal y una comunitaria.

> **Ver *Manual para el EdeJM*:**
> ➡ "Mística de la Misión", pp. 17-20.

3. Oración inicial en comunidad   10 minutos

Invitar a ponerse en presencia del Señor y pedir la iluminación del Espíritu Santo. Conducir la siguiente oración, leyéndola en voz alta y motivando a los jóvenes a que hagan eco de ella en su corazón:

> Señor Jesús, nos ponemos en tus manos, somos jóvenes dispuestos a escuchar tu Palabra y responder a tu llamado.
>
> Tú nos has elegido para colaborar contigo en la extensión de tu Reino como evangelizadores y anfitriones en esta Misión Bíblica Juvenil. Te ofrecemos todo lo que somos, estamos dispuestos a seguirte y a servirte como tú desees de cada uno de nosotros.
>
> Envíanos tu Espíritu e infúndenos los dones de sabiduría y consejo, que nos permitan discernir el rol que habremos de desempeñar en esta Misión.

Dispón nuestros corazones para que sepamos trabajar en espíritu de liderazgo compartido y demos así testimonio de comunión contigo y entre nosotros.

Incrementa nuestra fe en ti. Sabemos que si tú nos invitas a servirte como evangelizadores o anfitriones, es porque tú actuarás a través de nosotros; tus palabras serán las nuestras y tu cariño acogedor será el nuestro. Contigo todo lo podemos.

Permítenos descubrir en qué servicio somos más útiles, según los dones que nos has dado y las necesidades de los equipos. Ayúdanos a identificar los talentos que nos has dado para el bien de la comunidad.

Te lo pedimos en el nombre del Padre, del Hijo y del Espíritu Santo, por intercesión de María, nuestra madre. Amén.

4. Oración y discernimiento personal   10 minutos

Dar diez minutos para que los jóvenes oren en silencio. Invitarlos a:

- Dialogar con Jesús sobre el rol en que pueden servir mejor.

- Pedir al Espíritu Santo la disposición a aceptar cualquier rol en beneficio de la Misión.

- Elegir el rol al que se sienten llamados.

5. Análisis del balance de los roles elegidos   10 minutos

- Un miembro del Equipo Central invita a que los jóvenes que eligieron servir como evangelizadores, se coloquen a un lado del altar y los anfitriones, se coloquen al otro lado.

- Si el número de evangelizadores o de anfitriones no está balanceado, se pide a los jóvenes que reconsideren su opción, a la luz de la necesidad de formar los equipos y que voten cambiándose de lugar, hasta tener el número de personas necesarias en cada rol.

- El Equipo Central toma nota de quiénes quedaron en cada grupo.

6. Discernimiento comunitario   20 minutos

Este paso se realizará en tres grupos: (a) los evangelizadores, (b) los anfitriones y (c) el Equipo Central. La tarea a realizar es la siguiente:

- Los jóvenes en cada grupo compartirán las razones por las que optaron por dicho rol y si tienen razones para no ejercer el otro rol. Otros jóvenes que los conocen, podrían animarlos a estar abiertos al cambio de rol, si fuera necesario.

- El Equipo Central analizará el balance entre los grupos. Si el número de jóvenes en cada rol no se presta para formar los equipos o si la opción de algún/a joven parece no ser la adecuada, debido a sus dones y nivel de madurez, deberá hacer ajustes. En dicho caso, el miembro del equipo que invitó al o la joven a quien se le sugerirá cambiar de rol, le pedirá el cambio de manera personal.

- Dos miembros del Equipo Central finalizan las listas de quiénes servirán como evangelizadores y quiénes como anfitriones.

7. Instrucciones para preparar la Jornada de Capacitación

20 minutos

- Entregar a cada joven el *Manual para el Equipo de Jóvenes Misioneros* y el *Cuaderno de la Misión*. Explicar que el *Manual* presenta contenidos que necesitan para su formación como jóvenes misioneros, mientras que el *Cuaderno* es el recurso que utilizarán para conducir las sesiones bíblicas.

- Revisar el índice de su *Manual,* para que adquieran una idea sobre su contenido. Indicarles las páginas en que están las instrucciones para prepararse para la Jornada de Capacitación, pp. 63-66.

- Pedir que abran el *Cuaderno* en la "Introducción metodológica" y señalar sus dos secciones, con sus apartados. Después, hojear la Sesión 1, página por página, haciendo notar: la primera página, con sus objetivos y mensajes vitales, el plan de la sesión, los materiales necesarios, el proceso con sus partes y las tareas a realizar según el rol que desempeñarán. Mostrar la relación del *Cuaderno* con el *Diario* que acaban de utilizar al vivir la Misión.

- Enfatizar que, como protagonistas de la acción pastoral, deben prepararse para la Jornada de Capacitación: estudiar las publicaciones y escribir cualquier duda que requiera aclaración.

- Recordar el lugar y la fecha de la Jornada de Capacitación.

Ver *Manual para el EdeJM:*
→ "Preparación por los jóvenes misioneros para la Jornada de Capacitación", pp. 63-66.

Ver *Cuaderno de la Misión:*
→ "Introducción metodológica al *Cuaderno.*

8. Rito de compromiso solemne   10 minutos

- Invitar a los jóvenes misioneros a arrodillarse alrededor del altar, sosteniendo las tres publicaciones de la Misión, poniendo el *Manual para el Equipo de Jóvenes Misioneros,* hasta arriba. Pedirles que lo abran en la página 20, para decir juntos, en voz baja, la siguiente oración, dejando que el líder marque la duración de la pausa después de cada párrafo.

ORACIÓN DE COMPROMISO
COMO EVANGELIZADOR/A O ANFITRIÓN/A

Jesús, gracias por haberme invitado a ser parte de un Equipo de Jóvenes Misioneros, para que tu Palabra se haga joven con los jóvenes.

Respondo a tu llamado, como evangelizador/a o anfitrión/a, en esta Misión, para hacerte presente con mis acciones.

Me comprometo a capacitarme para llevar a cabo las cuatro sesiones bíblicas con el espíritu propio del discípulo/a misionero/a tuyo.

¡Bendice mi compromiso y envía tu Espíritu para que me ilumine y dé las fuerzas necesarias para llevar a cabo tu misión!

María, Madre de Jesús y madre nuestra, que por tu "sí" permitiste la encarnación de tu Hijo en nuestra historia, acompáñame en esta Misión, para que el Espíritu Santo actúe a través de mí y la Palabra se haga joven con los jóvenes.

- Terminar el rito entonando la canción lema de la Misión.

MBJ

6. ESQUEMA DEL PROCESO DE LA JORNADA DE CAPACITACIÓN

A continuación se presenta un esquema para organizar la Jornada de Capacitación. Su fin es brindar al Equipo Central suficiente guía para esta capacitación al mismo tiempo que darle libertad para planificar cada tópico y las actividades correspondientes, según sus habilidades y las necesidades de los jóvenes a ser capacitados como misioneros.

ESQUEMA DE LA JORNADA DE CAPACITACIÓN			
Tema	**Tópicos**	**Actividades**	**Tiempo**
Introducción a la Jornada	Bienvenida y oración inicial	• Dar la bienvenida y presentar la agenda del día. • Iniciar la Jornada con la Plegaria, "Guíanos y fortalécenos con tu Palabra". Ver *Manual para el EdeJM*, p. 66.	15 minutos 8:00 – 8:15
	La Misión y sus características principales	• Mostrar el vídeo de capacitación. Pedir a los jóvenes que identifiquen los aspectos en que requieren más explicación. • Sesión de preguntas y respuestas.	45 minutos 8:15 – 9:00
Mística de la Misión	La Misión y la Nueva Evangelización	• Tratar los dos primeros tópicos en un solo bloque. Hacer una presentación dinámica sobre la importancia de la Misión en la Iglesia y hoy en día. • Explicar la importancia del protagonismo juvenil en la Misión.	30 minutos 9:00 – 9:30
	Fundamentos teológico-pastorales de la Misión		
	Los jóvenes misioneros como evangelizadores		
	Canto de animación		10 minutos
Ser misionero joven	El Círculo Pastoral como metodología para la Misión	Revisar los pasos del Círculo Pastoral en el *Cuaderno de la Misión*, recordándoles cuando los siguieron al vivir la Misión.	20 minutos 9:40 – 10:00
	El liderazgo compartido en la implementación de la Misión	Organizar una dinámica que ejemplifique el liderazgo compartido.	30 minutos 10:00 – 10:30
	Evangelizar a los jóvenes en su aquí y ahora	Reflexionar en grupos pequeños sobre este tópico en relación con la juventud y a la realidad local.	30 minutos 10:30 – 11:00
	Desarrollo humano y crecimiento cristiano del joven	• En grupos de tres o cuatro participantes, compartir los aportes más importantes de su reflexión sobre sus etapas de desarrollo. • Compartir en sesión plenaria algunos de estos aportes.	30 minutos 11:00 – 11:30
	Descanso		15 minutos 11:30 – 11:45

ESQUEMA DE LA JORNADA DE CAPACITACIÓN			
Tema	**Tópicos**	**Actividades**	**Tiempo**
La Misión en acción	Proceso de implementación de la Misión	• Presentar el calendario para la Misión. • Facilitar que los jóvenes tomen conciencia del proceso de formación en la acción en que están involucrados.	15 minutos 11:45 – 12:00
	El *Manual para el EdeJM*, el *Cuaderno* y el *Diario de la Misión* Uso de el *Diario* y el *Cuaderno* de la Misión	• Revisar el *Manual para el EdeJM.* Responder dudas. • Revisar el uso del *Cuaderno* y su relación con el *Diario de la Misión.* Responder dudas. • Informar que después del almuerzo trabajarán en sesiones paralelas, según sus roles.	45 minutos 12:00 – 12:45
	Almuerzo		1 hora 12:45 – 1:45
	Preparación de los evangelizadores/as y los anfitriones/as **(sesiones paralelas)**	• Recapitular los roles de evangelizador/a y de anfitrión/a, y ver su complementariedad en la facilitación de las sesiones. • Reflexionar sobre las "Pautas para el liderazgo de los jóvenes misioneros", en el *Manual para el EdeJM*, pp. 67-72, desde la perspectiva de su rol en la Misión, incluyendo su relación con los asesores.	45 minutos 1:45 – 2:30
	Canto de animación y reacomodo de grupos		15 minutos
	Recomendaciones prácticas para el EdeJM **(sesión plenaria)**	• Conducir una sesión dialogada, dando ejemplos y respondiendo preguntas sobre cómo facilitar las sesiones y superar los problemas más comunes que surgen • Informar: (a) cómo están conformados los Equipos de Jóvenes Misioneros; (b) quiénes servirán como sus asesores, y (c) la ubicación y horario de la sede de la Misión a la que fueron asignados.	1 hora 2:45 – 3:45

MBJ

Tema	Tópicos	Actividades	Tiempo
La Misión en acción *(continuación)*	Análisis del trabajo realizado en la preparación para la Jornada **(trabajo en EdeJM)**	• Pedir que cada joven se autodenomine "A" o "B". • **En parejas,** ambos evangelizadores y ambos anfitriones: (a) dialogan sobre su análisis personal de las pautas al prepararse para esta Jornada, con el fin de conocer sus fortalezas y los desafíos a superar, y (b) comparten su estudio del *Cuaderno,* para identificar las actividades en que se sienten seguros y aquéllas en que requieren asesoría. • **El equipo completo,** dialoga sobre sus respectivos roles, en particular sobre la Sesión 1, realizando así una primera preparación para ella, e identificando las dudas a preguntar en la siguiente sesión.	1:15 horas 3:45 – 5:00
	Descanso (con refrigerio)		30 minutos
	Preguntas y respuestas sobre la logística y los roles en las sesiones **(sesión plenaria)**	Conducir una sesión de preguntas y respuestas sobre los aspectos identificados en la sesión anterior.	30 minutos 5:30 – 6:00
	Liturgias de Envío y de Clausura **(sesión plenaria)** **(grupos pequeños)**	• Revisar el espíritu y los detalles de las liturgias, así como la organización previa realizada por el Equipo Central. • Organizarse en grupos que celebrarán juntos la Liturgia de Envío, y distribuirse los servicios a realizar.	45 minutos 6:00 – 6:45
	Oración final y evaluación	• Cantar "Alma misionera" u otra canción apropiada. • **En los equipos de cada sede:** (a) tener presente la misión que Jesús les encomienda, al escuchar su oración al Padre; (b) proclamar Juan 17, 18-23; (c) orar por unos minutos como equipo. • Hacer una evaluación oral en que los jóvenes compartan los principales aportes de la Jornada y aspectos a mejorar. • Terminar con la canción lema de la Misión "Jesús te llamó".	30 minutos 6:45 – 7:15

7. Proceso para la reflexión final sobre la acción pastoral a lo largo de la Misión

Proceso   [6 horas]

1. Oración inicial   15 minutos

Crear un espíritu de oración que conduzca a una reflexión profunda sobre la experiencia del proyecto de la Misión. Se puede iniciar con un canto al Espíritu Santo y, después, dar oportunidad de que varias personas hagan una oración espontánea pidiéndole que los asista en su reflexión, para que sea fuente de crecimiento personal y madurez pastoral.

2. Reflexión sobre la acción pastoral en equipos   2:30 horas

El proceso de esta reflexión abarca el proyecto de la Misión completo, visto desde seis dimensiones. Será conducido en sesiones paralelas por el Equipo Central y por los jóvenes misioneros.

Queda a discreción del Equipo Central decidir el tamaño y la conformación de los grupos pequeños de reflexión, según las circunstancias locales. En cada grupo pequeño, hay que asignar facilitador/a, secretario/a y cronometrista, para que la reflexión fluya y se realice en el tiempo previsto.

Los aspectos a reflexionar sobre cada dimensión de la Misión son varios y se prestan para una reflexión profunda que pudiera abarcar un tiempo mucho más largo del previsto. Por lo tanto, se recomienda seguir estos pasos:

- Leer en voz alta, las preguntas en cada apartado (2 minutos).

- Dar tiempo para que, en silencio, cada persona reflexione sobre un aspecto que evoque una experiencia fuerte o una reflexión profunda de su parte; se recomienda que tomen algunas notas (8 minutos).

- Invitar a dos o tres personas a compartir su reflexión, procurando que a lo largo del proceso, todas puedan expresar su experiencia al menos dos veces (15 minutos).

- Asignar a un miembro del grupo para que comparta su reflexión en la sesión plenaria.

A. REFLEXIÓN SOBRE LA MÍSTICA DE LA MISIÓN [25 minutos]

¿Qué aspectos de la mística de la Misión fueron los más motivantes y enriquecedores? ¿Por qué?

- Pensar en su espiritualidad cristiana: ¿Cómo nutrió la Misión su relación con Jesús? ¿Ayudó a mejorar su relación con el Espíritu Santo y con Dios Padre?

- Pensar en su vocación bautismal: ¿Cómo ejercieron la misión que nos dejó Jesús profeta, sacerdote y rey-servidor? ¿Cuál de estos tres aspectos fue más fuerte en su experiencia y por qué?

- Pensar en la misión evangelizadora de la Iglesia: ¿A qué nivel fue fuente de renovación y fortalecimiento de la comunidad? ¿Qué impacto tuvo sobre la comunidad eclesial adulta el conocer más la Palabra de Dios?

B. REFLEXIÓN SOBRE LA ENCARNACIÓN DE LA PALABRA DE DIOS EN LA VIDA DE LOS JÓVENES [25 minutos]

¿Qué indicadores tienen de que la Palabra de Dios se encarnó en la vida de los jóvenes?

- Pensar en los jóvenes misioneros: ¿Que testimonio dieron con sus actitudes, palabras y acciones?

- Pensar en los jóvenes participantes: ¿Qué comentarios, acciones, oraciones..., mostraron que el mensaje de la Palabra de Dios llegó a su corazón, a su inteligencia, y a su vida?

C. REFLEXIÓN SOBRE EL PROCESO DE FORMACIÓN EN LA ACCIÓN [25 minutos]

¿Cuáles fueron los mayores frutos de las diferentes actividades formativas?

Recordar las diferentes actividades para identificar cuál/es fueron de especial relevancia en la formación de los miembros del Equipo Central y de los Equipos de Jóvenes Misioneros; dar algunos ejemplos de sus aportes, desde la perspectiva del propio equipo:

- Planificación y organización del proyecto de la Misión
- Invitación a los candidatos a ser jóvenes misioneros
- Convocatoria
- Preparación de la Vivencia de la Misión por el Equipo Central
- Vivencia de la Misión por los jóvenes misioneros
- Proceso de discernimiento para elegir el rol de evangelizador o anfitrión
- Jornada de Capacitación
- Preparación de las sesiones bíblicas por los jóvenes misioneros
- Conducción de las sesiones bíblicas por los jóvenes misioneros
- Evaluación de las sesiones bíblicas por los jóvenes misioneros
- Evaluaciones de las actividades formativas por el Equipo Central

D. REFLEXIÓN SOBRE LA PRÁCTICA PASTORAL [25 minutos]

¿Cómo ayudó este proyecto a mejorar la manera de realizar su acción pastoral?

- Pensar en términos amplios, como las diferentes etapas en el proceso, su manera de planificar, prepararse, trabajar en equipo, etcétera.

- Pensar en términos de actividades específicas que nunca habían realizado y en habilidades que adquirieron nuevas y que podrán aplicar en otros proyectos.

¿Cuáles fueron los desafíos, retos o conflictos más grandes que enfrentaron?

- Elegir uno para reflexionar sobre él.

- Pensar en las causas del desafío: ¿Cuál/es fue/ron? ¿Se hubieran podido evitar con mejor planificación o preparación? ¿Provienen del ambiente en que se realiza la pastoral juvenil?

- Recordar cómo enfrentaron o resolvieron el desafío: ¿Están satisfechos de la respuesta que le dieron? ¿Por qué?

- Viendo la situación retrospectivamente: ¿Debieron haber actuado de otra forma? ¿Por qué?

- Aprendizaje de la experiencia: ¿Cómo actuarán ante el mismo desafío o retos similares en el futuro?

E. REFLEXIÓN SOBRE EL LIDERAZGO COMPARTIDO Y EL PROTAGONISMO DE LOS JÓVENES [25 minutos]

¿Qué frutos dio la Misión gracias al liderazgo compartido?

- Pensar en el desarrollo personal: ¿Cómo me ayudó a crecer como persona? ¿Cómo me enriqueció en la manera de ver y vivir mi fe?

- Pensar en su propio equipo: ¿Cómo facilitó y enriqueció su labor? ¿Se dieron conflictos fuertes? ¿Cómo los resolvieron? ¿Les ayudaron a crecer?

- Pensar en la comunidad eclesial: ¿Qué impacto positivo tuvo esta manera de trabajar?

¿Cómo ejercieron los jóvenes su protagonismo evangelizador?

- Pensar en los jóvenes: ¿Qué aspectos de su protagonismo les fueron naturales y dadores de vida? ¿Cuáles implicaron esfuerzos mayores, sacrificios y una disciplina especial?

- Pensar en el apoyo requerido por los jóvenes: ¿Qué tipos de apoyo fueron los más valiosos? ¿En qué aspectos hizo falta un apoyo más fuerte o constante?

F. Y DESPUÉS DE LA MISIÓN..., ¿QUÉ? [25 MINUTOS]

¿Qué seguimiento se requiere para construir sobre los frutos que dio la Misión?

- Pensar en los frutos mayores para el Equipo Central, los jóvenes misioneros y los jóvenes participantes.

- Pensar qué puedo hacer a nivel personal para construir sobre dichos frutos.

- Pensar qué pueden hacer en conjunto, para construir sobre esos frutos.

¿Qué recomendarían para que la siguiente Misión diera más frutos?

- Pensar en qué se puede hacer para incrementar el número de jóvenes misioneros y sedes de la Misión.

- Pensar en qué se puede hacer para mejorar la calidad del protagonismo juvenil.

3. Puesta en común   1:30 hora

Dar 15 minutos para cada dimensión de la reflexión. Invitar a que dos jóvenes y un miembro del Equipo Central compartan en cada ocasión; dar cinco minutos a cada uno.

4. Oración final   30 minutos

- Colocar un altar al centro del salón con la Biblia y la Cruz de la Misión y una vela grande encendida, como símbolo de la comunidad reunida en torno a la Palabra de Dios, centrada en Jesús y dispuesta ser luz en el mundo con la fuerza del Espíritu Santo.

- Ponerse en círculo alrededor del altar y crear un ambiente de oración.

- Invitar a hacer algunas oraciones espontáneas que nazcan de la reflexión que acaban de hacer, siguiendo el espíritu que vaya mencionando el facilitador/a:

  o Oración de alabanza a Dios

  o Acción de gracias a Jesús

  o Petición de sus dones al Espíritu Santo

  o Invitación a María como compañera en la jornada de fe

- Terminar con la canción lema de la Misión.

5. Convivencia   30 minutos

APÉNDICE 4
EVALUACIONES Y REPORTE FINAL

En este Apéndice se encuentran los formularios para hacer las evaluaciones de los siguientes procesos formativos:

- La Convocatoria

- La Vivencia de la Misión por los jóvenes misioneros

- El proceso de discernimiento para la elección de roles

- La Jornada de capacitación

- Las Liturgias de Envío y de Clausura

También está el formulario para el reporte final de los centros organizadores al Instituto Fe y Vida. El formato para la evaluación de las sesiones bíblicas, conducidas por los jóvenes misioneros, está en el *Cuaderno de la Misión.*

Todos los formularios y guías se encuentran el sitio web de la Misión, como plantillas en Word para facilitar su uso. Al hacer las evaluaciones, se sugiere seguir tres pasos:

- Hacer la evaluación personal en silencio.

- Dialogar con el equipo sobre los aspectos más relevantes en la evaluación personal.

- Escribir los datos que pasarán al reporte final.

MBJ

1. EVALUACIÓN DE LA CONVOCATORIA

La evaluación de la Convocatoria tiene cuatro partes. La primera evalúa varias acciones del Equipo Central. La segunda permite una apreciación de los jóvenes respecto a la Misión. La tercera sirve para documentar datos relevantes y la cuarta, para registrar percepciones generales sobre la Convocatoria y escribir lo que amerite ser compartido en el "Reporte final al Instituto Fe y Vida".

EVALUACIÓN DE LA CONVOCATORIA					
Parte 1: Acción del Equipo Central	Pobre **1**	Mediocre **2**	Regular **3**	Bien **4**	Excelente **5**
1. Transmisión de la mística de la Misión.	1	2	3	4	5
2. Facilitación de los momentos de oración.	1	2	3	4	5
3. Presentación sobre en qué consiste la Misión.	1	2	3	4	5
4. Presentación sobre la Misión como proceso de formación en la acción.	1	2	3	4	5
5. Liderazgo compartido:					
a. Del líder organizador	1	2	3	4	5
b. De los formadores	1	2	3	4	5
c. De los asesores	1	2	3	4	5
6. Enlistar las estrategias que utilizaron para hacer la *invitación a los candidatos a jóvenes misioneros.* ¿Cuáles fueron apropiadas y cuáles no sirvieron al grado esperado? a. b. c.					
7. ¿Hubo algún concepto que no quedó claro durante la Convocatoria y que se necesite reforzar durante la Vivencia de la Misión o en la Jornada de Capacitación?					
8. ¿Ratificaron por escrito las fechas de la Vivencia de la Misión y la Jornada de Capacitación? Si no se hizo, ¿cómo se enmendará este error?					
9. Escribir las estrategias de seguimiento para conservar a los jóvenes comprometidos: a. b. c.					

Parte 2: Apreciación de los jóvenes misioneros	Pobre 1	Mediocre 2	Regular 3	Bien 4	Excelente 5
1. Valoración del proyecto de la Misión.	1	2	3	4	5
2. Entusiasmo y disposición a capacitarse como jóvenes misioneros	1	2	3	4	5
3. Nivel de compromiso hacia la Misión.	1	2	3	4	5

4. ¿Cuáles fueron las preguntas más relevantes y las más frecuentes que hicieron los jóvenes?

    a.

    b.

5. Identificar a los jóvenes con mayor experiencia y/o formación:

    a.

    b.

6. Identificar a los jóvenes que necesitarán más apoyo, debido a su experiencia y/o formación limitada:

    a.

    b.

7. Mencionar algunas actitudes positivas de los jóvenes:

    a.

    b.

8. Mencionar algunas actitudes de los jóvenes que requieren atención:

    a.

    b.

Parte 3: Datos relevantes

1. Número de jóvenes invitados a servir como jóvenes misioneros _____

2. Número de jóvenes que participaron en la Convocatoria _____

3. Número de jóvenes comprometidos a capacitarse y servir en la Misión _____

4. Revisar si los datos están completos en los "Formularios de inscripción". Si no es así, decidir cómo se completarán.

5. Otros datos relevantes:

    a.

    b.

MBJ

Parte 4: Percepciones generales

1. Indicadores de que se comprendió y se vivió la mística de la Misión:

    a.

    b.

2. Logros o frutos más importantes de la Convocatoria:

    a.

    b.

3. Desafíos más grandes al hacer la invitación:

    a. ¿A qué se debieron?

    b. ¿Cómo los resolvieron?

    c. ¿Cómo resolverlos mejor?

4. Escribir los desafíos más grandes durante la Convocatoria:

    a. ¿A qué se debieron?

    b. ¿Cómo los resolvieron?

    c. ¿Cómo resolverlos mejor?

5. Sugerencias para las misiones subsecuentes, a nivel local, provenientes de la experiencia:

    a. En la conformación del Equipo Central:

    b. En la planificación inicial:

    c. Al hacer la invitación a los jóvenes misioneros:

    d. En el proceso de la Convocatoria:

6. Comentarios y recomendaciones para el equipo del Instituto Fe y Vida:

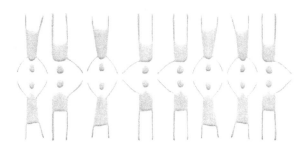

2. EVALUACIÓN DE LA VIVENCIA DE LA MISIÓN

Esta evaluación tiene cinco partes. La primera consiste en un diálogo evaluativo a ser realizado después de las Sesiones 1 y 3. La segunda se centra en la acción del Equipo Central. La tercera realiza una apreciación de los jóvenes misioneros. La cuarta analiza el proceso de cada una de las cuatro sesiones bíblicas. La quinta reúne las percepciones generales sobre la Vivencia de la Misión, así como comentarios y recomendaciones para el Instituto Fe y Vida.

EVALUACIÓN DE LA VIVENCIA DE LA MISIÓN

Parte 1: Diálogo evaluativo después de las Sesiones 1 y 3

Al terminar la Sesión 1:

- Basados en la experiencia de esta sesión: ¿Hay algún ajuste que hacer en las siguientes sesiones?
- Según lo observado respecto a los jóvenes: ¿Hubo alguna conducta o actitud que deba ser corregida de inmediato?
- Respecto a la manera de ejercer los roles de evangelizador/a y anfitrión/a: ¿Hay algo que se deba mejorar?

Al terminar la Sesión 3:

- Basados en la experiencia de las Sesiones 2 y 3: ¿Hay algún ajuste que hacer en la Sesión 4?
- Según lo observado respecto a los jóvenes: ¿Hay alguna conducta o actitud que deba ser corregida de inmediato?
- Respecto a la manera de ejercer los roles de evangelizador/a y anfitrión/a: ¿Hay algo que se deba mejorar?

EVALUACIÓN AL FINAL DE LA MISIÓN					
Parte 2: Acción del Equipo Central	Pobre 1	Mediocre 2	Regular 3	Bien 4	Excelente 5
1. Preparación de la Misión:					
a. Por parte del líder organizador	1	2	3	4	5
b. Por quienes sirvieron de evangelizadores/as	1	2	3	4	5
c. Por quienes sirvieron de anfitriones/as	1	2	3	4	5
2. Transmisión de la mística de la Misión.	1	2	3	4	5

	Pobre	Mediocre	Regular	Bien	Excelente
3. Acción del *líder organizador* como asesor:					
a. Apoyó la auto-coordinación del equipo misionero	1	2	3	4	5
b. Respetó el liderazgo del equipo misionero	1	2	3	4	5
c. Atendió la necesidad de hacer ajustes al proceso	1	2	3	4	5
4. Acción de los *evangelizadores/as* como:					
a. Proclamadores de la Palabra	1	2	3	4	5
b. Pareja de líderes trabajando en apoyo mutuo	1	2	3	4	5
c. Conductores de las sesiones, según el horario acordado	1	2	3	4	5
d. Facilitadores de la oración	1	2	3	4	5
e. Facilitadores de la reflexión	1	2	3	4	5
5. Acción de los *anfitriones/as* como:					
a. Creadores del ambiente de la sede de la Misión	1	2	3	4	5
b. Forjadores de comunidad	1	2	3	4	5
c. Pareja de líderes trabajando en apoyo mutuo	1	2	3	4	5
d. Auxiliares al equipo de evangelizadores	1	2	3	4	5
e. Responsables de la preparación de los materiales	1	2	3	4	5

6. Si tuvieron que enfrentar algunos desafíos *en su trabajo como equipo*, indicar:

a. ¿A qué se debieron?

b. ¿Cómo los resolvieron?

c. ¿Cómo resolverlos mejor?

Parte 3: **Apreciación de los jóvenes misioneros**	Pobre 1	Mediocre 2	Regular 3	Bien 4	Excelente 5
1. Espíritu con el que llegaron a la Misión	1	2	3	4	5
2. Interés en el proceso y contenido de las sesiones	1	2	3	4	5
3. Espíritu de reflexión	1	2	3	4	5
4. Espíritu de oración	1	2	3	4	5
5. Espíritu comunitario y apoyo mutuo	1	2	3	4	5
6. Participación en las actividades	1	2	3	4	5

7. Actitudes o reacciones de los participantes con las que mostraron que estaban recibiendo los *mensajes vitales* de las sesiones:

a.

b.

c.

8. Comentarios interesantes o valiosos de los participantes:

a.

b.

c.

9. ¿Identificaron algunos jóvenes con personalidades difíciles o conflictivas?

a. ¿Quiénes?

b. ¿Cómo manejó el equipo estas situaciones durante el proceso?

c. ¿Qué implica esto ante su pertenencia a un Equipo de Jóvenes Misioneros?

d. ¿Quién hablará con esos jóvenes?

10. ¿Identificaron algunos jóvenes sin el nivel o actitud necesarias para ser jóvenes misioneros?

a. ¿Quiénes?

b. ¿Quién hablará con esos jóvenes?

Parte 4: Proceso de las sesiones bíblicas

Sesión Bíblica 1

a. Revisar el Plan de la Sesión, recorriendo sus momentos, actividades y pasos, identificar:

- *Aspectos confusos:* ¿Por qué? ¿Cómo resolverlos para que los jóvenes misioneros no tengan el mismo problema?

- *Actividades que no se realizaron en el tiempo estimado:* ¿Por qué? ¿Cómo resolver el problema para que los jóvenes misioneros no lo tengan?

b. ¿Tuvieron todos los materiales necesarios? ¿Hay materiales que fueron difíciles de obtener y necesitan suplir en su realidad local?

c. ¿Hay algunas actividades que requieren ser adaptadas para la Misión que conducirán los jóvenes misioneros?

Sesión Bíblica 2

a. Revisar el Plan de la Sesión, recorriendo sus momentos, actividades y pasos, identificar:

- *Aspectos confusos:* ¿Por qué? ¿Cómo resolverlos para que los jóvenes misioneros no tengan el mismo problema?

- *Actividades que no se realizaron en el tiempo estimado:* ¿Por qué? ¿Cómo resolver el problema para que los jóvenes misioneros no lo tengan?

b. ¿Tuvieron todos los materiales necesarios? ¿Hay materiales que fueron difíciles de obtener y necesitan suplir en su realidad local?

c. ¿Hay algunas actividades que requieren ser adaptadas para la Misión que conducirán los jóvenes misioneros?

Sesión Bíblica 3

a. Revisar el Plan de la Sesión, recorriendo sus momentos, actividades y pasos. Identificar:

- *Aspectos confusos:* ¿Por qué? ¿Cómo resolverlos para que los jóvenes misioneros no tengan el mismo problema?

- *Actividades que no se realizaron en el tiempo estimado:* ¿Por qué? ¿Cómo resolver el problema para que los jóvenes misioneros no lo tengan?

b. ¿Tuvieron todos los materiales necesarios? ¿Hay materiales que fueron difíciles de obtener y necesitan suplir en su realidad local?

c. ¿Hay algunas actividades que requieren ser adaptadas para la Misión que conducirán los jóvenes misioneros?

Sesión Bíblica 4

a. Revisar el Plan de la Sesión, recorriendo sus momentos, actividades y pasos. Identificar:

- *Aspectos confusos:* ¿Por qué? ¿Cómo resolverlos para que los jóvenes misioneros no tengan el mismo problema?

- *Actividades que no se realizaron en el tiempo estimado:* ¿Por qué? ¿Cómo resolver el problema para que los jóvenes misioneros no lo tengan?

b. ¿Tuvieron todos los materiales necesarios? ¿Hay materiales que fueron difíciles de obtener y necesitan suplir en su realidad local?

c. ¿Hay algunas actividades que requieren ser adaptadas para la Misión que conducirán los jóvenes misioneros?

Parte 5: Percepciones generales

1. Escribir los logros o frutos más importantes alcanzados en la Vivencia de la Misión:

a.

b.

2. Escribir los desafíos más grandes al preparar o conducir las sesiones bíblicas:

a. ¿A qué se debieron?

b. ¿Cómo los resolvieron?

c. ¿Cómo resolverlos mejor?

3. Sugerencias para las misiones subsecuentes, a nivel local, provenientes de la experiencia:

a. En la preparación de las sesiones bíblicas:

b. En la conducción de las sesiones:

4. Comentarios y recomendaciones para el equipo del Instituto Fe y Vida:

3. EVALUACIÓN DEL PROCESO DE DISCERNIMIENTO PARA LA ELECCIÓN DE ROLES

La evaluación del proceso de discernimiento de roles tiene tres partes. La primera evalúa la acción del Equipo Central. La segunda se centra en los jóvenes misioneros, y la tercera recaba la información para el "Reporte final al Instituto Fe y Vida".

EVALUACIÓN DEL PROCESO DE DISCERNIMIENTO					
Parte 1: **Acción del Equipo Central**	Pobre 1	Mediocre 2	Regular 3	Bien 4	Excelente 5
1. Llamado a continuar la Misión de Jesús	1	2	3	4	5
2. Creación de un espíritu de oración y reflexión	1	2	3	4	5
3. Análisis del balance de los roles elegidos	1	2	3	4	5
4. Conducción del discernimiento comunitario	1	2	3	4	5
5. Instrucciones para la Jornada de Capacitación	1	2	3	4	5
6. Rito de compromiso solemne	1	2	3	4	5
Parte 2: **Apreciación de los jóvenes misioneros**	Pobre 1	Mediocre 2	Regular 3	Bien 4	Excelente 5
1. Actitud general de los jóvenes misioneros	1	2	3	4	5
2. Espíritu de oración y entusiasmo por la Misión	1	2	3	4	5
3. ¿Qué rol escogieron los jóvenes con más frecuencia? ¿Por qué creen que sucedió eso?					
4. ¿Cómo respondieron los jóvenes ante la necesidad de equilibrar el número de misioneros en cada rol?					
5. ¿Cuántos jóvenes optaron por servir en la Misión a través de su oración en lugar de como jóvenes misioneros? ¿Cómo dar seguimiento para que se sientan incluidos durante todo el proceso?					
6. Observaciones que hay que tener en cuenta al realizar la Jornada de Capacitación:					

MBJ

Parte 3: Percepciones generales

1. Sugerencias para las misiones subsecuentes, a nivel local, provenientes de la experiencia:

   a. En la preparación del proceso:

   b. En la facilitación del proceso:

2. Comentarios y recomendaciones para el equipo del Instituto Fe y Vida:

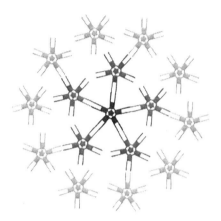

4. Evaluación de la Jornada de Capacitación

La evaluación de la Jornada de Capacitación consta de cinco partes. La primera evalúa la acción del Equipo Central. La segunda permite una apreciación de los jóvenes como individuos y la tercera de los equipos de jóvenes recién integrados. La cuarta sirve para documentar datos relevantes de la Jornada y la quinta recaba información para el "Reporte final al Instituto Fe y Vida".

EVALUACIÓN DE LA JORNADA DE CAPACITACIÓN					
Parte 1: Acción del Equipo Central	Pobre 1	Mediocre 2	Regular 3	Bien 4	Excelente 5
1. Transmisión de la mística de la Misión	1	2	3	4	5
2. Facilitación de los momentos de oración	1	2	3	4	5
3. Presentación sobre el proceso de la Misión	1	2	3	4	5
4. Presentación sobre la mística de la Misión	1	2	3	4	5
5. Revisión de la dimensión metodológica	1	2	3	4	5
6. Revisión de las cuatro publicaciones	1	2	3	4	5
7. Sesión de los evangelizadores	1	2	3	4	5
8. Sesión de los anfitriones	1	2	3	4	5
9. Sesiones plenarias de diálogo y preguntas y respuestas	1	2	3	4	5
10. Sesión sobre las Liturgias de Envío y Clausura	1	2	3	4	5
11. Liderazgo compartido del Equipo Central:					
a. Por parte del líder organizador	1	2	3	4	5
b. Por parte de los formadores	1	2	3	4	5
c. Por parte de los asesores	1	2	3	4	5
12. ¿Hubo algún concepto que no quedó claro y que necesiten reforzar durante la preparación de las sesiones bíblicas?					
13. ¿Qué asesores requieren apoyo durante la etapa de las sesiones bíblicas, por parte de los miembros del equipo que tienen más experiencia?					

MBJ

Parte 2: Apreciación de los jóvenes misioneros	Pobre 1	Mediocre 2	Regular 3	Bien 4	Excelente 5
1. Preparación con la que llegaron a la Jornada	1	2	3	4	5
2. Interés en las presentaciones	1	2	3	4	5
3. Participación en las actividades grupales	1	2	3	4	5
4. Participación en las sesiones plenarias	1	2	3	4	5

5. Comentarios relevantes de los jóvenes a lo largo del proceso:

a.

b.

c.

6. ¿Cuál fue la actitud de los jóvenes que más prevaleció durante la Jornada?

a.

b.

c.

7. ¿Cuáles son los aportes más grandes que recibieron los jóvenes al reflexionar sobre sus etapas de desarrollo?

a.

b.

c.

8. ¿Cuáles fueron las preguntas más importantes o frecuentes que hicieron los jóvenes?

a.

b.

c.

9. Oraciones de ofrenda, particularmente significativas, durante la oración final:

a.

b.

c.

Parte 3: Apreciación de los Equipos de Jóvenes Misioneros

1. ¿Cuáles fueron los logros y desafíos más grandes durante la integración de los equipos?

    a. Logros:

    b. Desafíos:

2. En relación con los Equipos de Jóvenes Misioneros recién formados:

    a. ¿Cómo fue la interacción entre sus miembros?

    b. ¿Hay algunos jóvenes que sobresalieron por su liderazgo y madurez? ¿Quiénes son? ¿Están en diferentes equipos?

    c. ¿Hay algún equipo que requiera ajuste en cuanto a sus miembros, debido a personalidades encontradas u otros factores?

    d. ¿Hay adolescentes o jóvenes que requieren apoyo o asesoría personal, además de la que recibirán con su equipo?

    e. ¿Pueden identificar asesores particularmente adecuados para ciertos equipos?

Parte 4: Datos relevantes

1. Número de equipos que se formaron _____

2. Número de equipos con asesor/a por ser menores de edad _____

3. Número de equipos con asesor/a por su experiencia limitada _____

4. Escribir las fechas en que será la reunión de cada equipo para preparar la primera sesión:

    a.

    b.

    c.

5. Otras notas importantes:

    a.

    b.

    c.

Parte 5: Percepciones generales

1. Anotar algunos indicadores de que se comprendió mejor y se vivió la mística de la Misión:

    a.

    b.

2. Escribir los logros o frutos más importantes de la Jornada de Capacitación.

    a.

    b.

3. Escribir los desafíos más grandes durante la Jornada:

    a. ¿A qué se debieron?

    b. ¿Cómo los resolvieron?

    c. ¿Cómo resolverlos mejor?

4. Sugerencias para las Misiones subsecuentes, a nivel local, provenientes de la experiencia:

    a. La preparación de la Jornada de Capacitación:

    b. El proceso general de la Jornada de Capacitación:

    c. Las presentaciones de los temas:

    d. La organización y conducción de las actividades:

    e. El liderazgo como Equipo Central:

5. Comentarios y recomendaciones para el equipo del Instituto Fe y Vida:

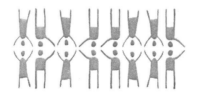

5. GUÍAS PARA LA EVALUACIÓN ORAL DE LAS LITURGIAS DE ENVÍO Y DE CLAUSURA

A continuación se presentan dos guías para conducir un diálogo evaluativo sobre las Liturgias de Envío y de Clausura. Conviene que esta evaluación también sea realizada por los jóvenes misioneros y el sacerdote que presidió las liturgias.

EVALUACIÓN DE LA LITURGIA DE ENVÍO

1. Dialogar sobre cómo transmitieron a los jóvenes la diferencia entre una liturgia de la Palabra y la liturgia eucarística, y algunos comentarios relevantes de los jóvenes, si los hubo.

2. Comentar sobre cómo participaron los jóvenes y ustedes, como Equipo Central, en la preparación de la liturgia, en términos del liderazgo compartido respecto a responsabilidades y ministerios.

3. Señalar los indicadores que muestran que la liturgia estuvo centrada en la juventud y contó con el protagonismo de los jóvenes.

4. Comentar sobre la participación de la comunidad durante la liturgia.

5. Compartir sus observaciones sobre el rito de envío y la entrega de la Biblia, la Cruz de la Misión y las cruces a los jóvenes misioneros.

6. Indicar aspectos a mejorar en la Liturgia de Clausura, con base en esta experiencia.

7. Mencionar los aciertos durante la preparación y vivencia de esta liturgia, que deben conservar para la Liturgia de Clausura.

8. Escribir los desafíos más grandes para lograr una liturgia vibrante, participativa y significativa para los jóvenes misioneros y la comunidad eclesial.

   a. ¿A qué se debieron?

   b. ¿Cómo los resolvieron?

   c. ¿Cómo resolverlos mejor?

9. Sugerencias para misiones subsecuentes, a nivel local, provenientes de la experiencia:

10. Comentarios y recomendaciones para el equipo del Instituto Fe y Vida.

MBJ

EVALUACIÓN DE LA LITURGIA DE CLAUSURA

1. Comentar sobre cómo participaron los jóvenes y ustedes, como Equipo Central, en la preparación de la liturgia, en términos del liderazgo compartido respecto a responsabilidades y ministerios.

2. Señalar los indicadores que muestran que la liturgia estuvo centrada en la juventud y contó con el protagonismo de los jóvenes.

3. Comentar sobre la participación de la comunidad durante la liturgia.

4. Compartir sus observaciones sobre el rito de envío y la entrega de los *Diarios de la Misión*.

5. Escribir los desafíos más grandes para lograr una liturgia vibrante, participativa y significativa para los jóvenes misioneros y la comunidad eclesial.

    a. ¿A qué se debieron?

    b. ¿Cómo los resolvieron?

    c. ¿Cómo resolverlos mejor?

6. Sugerencias para misiones subsecuentes, a nivel local, provenientes de la experiencia:

    a.

    b.

7. Comentarios y recomendaciones para el equipo del Instituto Fe y Vida.

6. Reporte final de los centros organizadores al Instituto Fe y Vida

El Instituto Fe y Vida y las instituciones asociadas están muy interesadas en conocer los resultados de la Misión Bíblica Juvenil. Estamos convencidos de que se puede aprender a través de sus experiencias, tanto positivas como negativas, para preparar a futuro un mejor proyecto misionero.

El formulario que a continuación se presenta tiene seis partes. Solicitamos que llenen por completo las Partes 1 y 2. En las siguientes partes, pueden escribir sólo sobre los aspectos que consideren relevantes para el equipo del Instituto Fe y Vida, basándose en las evaluaciones que hicieron a lo largo del proceso de la Misión y en observaciones finales que quieran compartir. En cuanto a los testimonios, les pedimos que envíen por lo menos dos.

Las personas que envían reporte recibirán, en agradecimiento, el análisis final del proyecto hecho por el Instituto Fe y Vida. Al igual que las evaluaciones, este formato se encuentra en Word, en el sitio web, para facilitar que lo llenen y lo envíen a:
reporte@MisionBiblicaJuvenil.org

Muchas gracias,

Equipo Bíblico del Instituto Fe y Vida

REPORTE AL INSTITUTO FE Y VIDA

Parte 1: Datos generales

1. Nombre del líder organizador/a:

Correo electrónico:

2. Nombre de la institución organizadora:

3. Domicilio de la institución organizadora:

Calle:

Ciudad: Estado:

Código postal: País:

Sitio web:

4. Tipo de institución que organizó la Misión:

___arqui/diócesis   ___parroquia   ___movimiento apostólico   ___congregación religiosa

___universidad   ___colegio   ___pequeña comunidad eclesial   otro:_____

MBJ

Parte 2: Estadística de la Misión

1. Número de miembros en el Equipo Central:

2. Número de sedes de la Misión:

3. Número total de miembros en todos los Equipos de Jóvenes Misioneros:

4. Características de los jóvenes misioneros:

Número de: hombres _____   mujeres _____

Número de jóvenes en cada grupo de edad: 15-18 _____   19-21 _____   22-30 _____

5. Características de los jóvenes participantes:

Número de: hombres _____   mujeres _____

Número de jóvenes en cada grupo de edad: 15-18 _____   19-21 _____   22-30 _____

Parte 3: Logros y frutos de la Misión

1. Logros y frutos principales en el Equipo Central:

2. Logros y frutos principales entre los jóvenes misioneros:

3. Logros y frutos principales entre los jóvenes participantes:

4. Otros logros y frutos importantes:

Parte 4: Desafíos más grandes al implementar la Misión

1. ¿En qué consistió? ¿A qué se debió? ¿Cómo lo solucionaron?

2. ¿En qué consistió? ¿A qué se debió? ¿Cómo lo solucionaron?

Parte 5: Comentarios sobre las publicaciones y procesos de la Misión

1. Comentarios sobre el *Manual para el Equipo Central:*

2. Comentarios sobre el *Manual para el Equipo de Jóvenes Misioneros:*

3. Comentarios sobre el *Cuaderno de la Misión:*

4. Comentarios sobre el *Diario de la Misión:*

5. Comentarios sobre el sitio web y los materiales electrónicos:

6. ¿Qué cambios sustantivos tuvieron que hacer para adaptar el proyecto a su situación local?

7. Recomendaciones para el equipo del Instituto Fe y Vida:

Parte 6: Testimonios

1. Testimonio de un miembro del Equipo Central:

2. Testimonio de un evangelizador/a:

3. Testimonio de un anfitrión/a:

4. Testimonio de un/a joven participante:

Canción lema de la Primera Misión
LA PALABRA SE HACE JOVEN CON LOS JÓVENES

Martín Valverde

Él es la puerta, atrévete a entrar.
Dale un por qué a tu vida;
él es el buen pastor que se nos da
y conoce a sus ovejas.

Para aquéllos que buscan vivir
y alcanzar sus sueños,
la luz que brilla y llama al corazón
la voz del Buen Pastor.

Él es el pan de vida, cómelo;
nunca más tendrás hambre.
Verdadero pan que nos da Dios
y da la vida al mundo.

Da tu paso, atrévete a creer,
para que tengas vida.
Escucha hoy la voz de tu pastor
llamándote a vivir.

Jesús te llama para llevar
su Palabra a todas partes.
Él te eligió, te hace apóstol,
renueva tu juventud.

Te está invitando para llevar
la buena nueva de su amor.
Oye su voz, que la Palabra
se hace joven contigo.

Cristo es el camino, es la verdad,
y solo él da vida.
La verdadera vid, unido a él
tu juventud da fruto.

La resurrección, aquél que crea en él
aunque muera vivirá.
Camina junto a él,
la verdad descubre y vive ya.

Llevan en su pecho un nuevo ardor:
amor de Dios que llama.
Portadores de la buena nueva
van compartiendo vida.

Son profetas que Dios levantó
y llevan su Palabra.
Son testigos desde el corazón
y ésta es su canción.

Coro

Él me llamó, hoy llevo
su Palabra a todas partes.
Él me eligió, me hizo apóstol,
renovó mi juventud.

Él me invitó, hoy llevo
la buena noticia de Jesús.
Oigo su voz y su Palabra
se hace joven conmigo.

Él nos llamó, llevamos
su Palabra a todas partes.
Nos eligió, nos hizo apóstoles
renovó la juventud.

Nos invitó, llevamos
la buena noticia de Jesús.
Él nos habló y su Palabra
es vida de la juventud.

Citas y referencias bibliográficas

1 Consejo Episcopal Latinoamericano (CELAM), V Conferencia General del Espiscopado Latinoamericano y del Caribe, *Aparecida: Documento Conclusivo,* Editorial Progreso, México, 2007, no. 443.

2 Juan Pablo II, *Exhortación apostólica Ecclesia in America,* Editorial Basilio Nuñez, México, 1999.

3 Sínodo de los Obispos, XII Asamblea General Ordinaria, *La Palabra de Dios en la vida y en la misión de la Iglesia: Lineamenta,* www.vatican.va, 2007, no. 4.

4 CELAM, *Aparecida,* op.cit., no. 349.

5 National Catholic Network de Pastoral Juvenil Hispana – La Red, *Conclusiones, Primer Encuentro Nacional de Pastoral Juvenil Hispana,* EUA, 2006, pp. 47-52.

6 United States Catholic Conference of Bishops, *Renovemos la visión: Un marco para la pastoral juvenil,* USCCB Publishing, EUA, 1997, pp. 9-11.

7 Instituto Fe y Vida, *Programa de capacitación para la Pastoral Bíblica Juvenil,* Stockton, California, EUA, 2008.

8 *La Biblia Católica para Jóvenes,* Instituto Fe y Vida, EUA, y Editorial Verbo Divino, España, 2005.

9 Pablo VI, *Evangelii Nuntiandi,* Editorial Progreso, México, 1975, nos. 18-19.

10 CELAM, III Conferencia General del Episcopado Latinoamericano, *Puebla: La evangelización en el presente y futuro de América Latina,* Editorial San Pablo, Colombia, 1979, no. 1186.

11 Juan Pablo II, *Christifideles laici: sobre vocación y misión de los laicos en la Iglesia y en el mundo,* Editorial Progreso, México, 1988, nos. 2 y 46.

12 *Dei Verbum, Constitución dogmática sobre la divina revelación,* en Concilio Vaticano II: Constituciones. Decretos. Declaraciones, Biblioteca de Autores Cristianos, Madrid, 1967, nos. 2, 21.

13 Instituto Fe y Vida, *Manual de capacitación para la pastoral bíblica juvenil,* Stockton, California, 2008.

Breinigsville, PA USA
15 November 2010
249295BV00003B/5/P

9 780980 029314